W9-BWC-686

LE NEVEU DE RAMEAU

Dans la même collection :

ALLAIS, Plaisirs d'humour.
ANDERSEN, L'Ombre et autres contes / Le Vaillant Soldat de plomb, la petite sirène et autres contes.
BALZAC, Adieu / La Maison du Chat-qui-pelote / Les Secrets de la princesse de Cadignan / La Vendetta / Sarrasine / L'Élixir de longue vie, *précédé de* El Verdugo.
BARBEY D'AUREVILLY, Le Plus Bel Amour de Don Juan *précédé de* Le Rideau cramoisi..
CHAMISSO, L'Étrange Histoire de Peter Schlemihl.
CHARLES D'ORLÉANS, L'Écolier de Mélancolie.
CHRISTIE, Les Plans du sous-marin.
COLETTE, Les Vrilles de la vigne / La Ronde des bêtes / Gribiche.
COLOMBEL, Lettre à Mathilde sur Jean-Paul Sartre.
DIDEROT, Supplément au Voyage de Bougainville / Lettre sur les aveugles /
FLAUBERT, Un cœur simple / Novembre.
GAUTIER, Arria Marcella.
HOFFMANN, Mademoiselle de Scudéry.
HUGO, Claude Gueux / Légende du beau Pécopin et de la belle Bauldour.
JARRY, Ubu roi.
LA FONTAINE, Fables (anthologie).
LA FAYETTE (Mme de) La Princesse de Montpensier *suivi de* La Comtesse de Tende.
LABICHE, La Cagnotte.
LEBLANC, L'Arrestation d'Arsène Lupin / Le Cabochon d'émeraude *précédé de* L'Homme à la peau de bique.
LUCIEN, Philosophes à vendre.
MARIE DE FRANCE, Le Lai de Lanval.
MAUPASSANT, La Parure / Le Horla / En famille et autres textes /Une partie de campagne.
MÉRIMÉE, La Vénus d'Ille / Lokis / Les Âmes du purgatoire / La Double Méprise.
NERVAL, La Main enchantée / Aurélia / Sylvie.
PLATON, Apologie de Socrate.
PLUTARQUE, Vie d'Alcibiade.
RACINE, Les Plaideurs.
RENARD, Poil de carotte.
SCHWOB, Le Roi au masque d'or.
SÉNÈQUE, Médée.
SHAKESPEARE, Henry V.
SIMENON, Le Crime du Malgracieux.
STEVENSON, L'Étrange Cas du Dr Jekyll et de Mr Hyde.
SUÉTONE, Vie de Néron.
TCHEKHOV, La Steppe.
TOURGUENIEV, Le Journal d'un homme de trop.
VIAN, Blues pour un chat noir.
VOLTAIRE, La Princesse de Babylone / Micromégas.
WILDE, Le Portrait de M. W. H. / Le Prince heureux et autres contes.
XXX, Chansons d'amour du Moyen Âge / Le Jugement de Renart / La Mort de Roland / Anthologie de la poésie française de Villon à Verlaine / Merlin l'Enchanteur / Lettres portugaises.
ZOLA, Jacques Damour *suivi de* Le Capitaine Burle.
ZWEIG, Les Prodiges de la vie / Printemps au Prater.

DIDEROT

Le Neveu de Rameau

Édition établie, présentée et annotée par Pierre Chartier

LE LIVRE DE POCHE

Spécialiste de Diderot, Pierre Chartier est professeur à l'Université Paris 7–Denis Diderot. Il a procuré dans Le Livre de Poche classique une édition de *Jacques le Fataliste*.

PRÉFACE

« Le Chef-d'œuvre inconnu » : tel est le qualificatif, revu et corrigé de Balzac, dont un récent critique a paré *Le Neveu de Rameau*. Ce titre lui convient à merveille, à condition d'oublier aussitôt la tragédie du peintre Frenhofer. Aucun échec créateur, ici, sauf à considérer comme tel Jean-François lui-même, le pitoyable neveu du grand compositeur et théoricien qu'a été Jean-Philippe Rameau ! Une mystérieuse obscurité en revanche n'a pas laissé d'entourer pendant des années l'histoire du manuscrit, celle du texte et jusqu'à son sujet. Tout, de ce point de vue, a été exceptionnel : le silence observé par son auteur sur l'existence même de l'œuvre, l'extrême confidentialité de sa communication, l'étrangeté de la première parution — traduction non avouée d'une traduction — et le ton, enfin, unique, qui caractérise cette *Satire seconde*, autre dénomination du *Neveu*. Quelque chose, dans sa fulgurance, semble anticiper ce qui fut un destin éditorial hors norme et lui rester à jamais. Redécouvert tardivement, par hasard, en 1890, restitué dans sa forme originelle, *Le Neveu de Rameau* continue pourtant d'être aux yeux du public une œuvre à constamment réinventer, qui ne ressemble à aucune autre. Devenu un classique, tenu pour l'une des très grandes réussites du XVIIIe siècle, et même de la littérature française tout entière, ce dialogue n'en continue pas moins de frapper ses nouveaux lecteurs d'une véritable sidération. Le quiproquo de sa naissance a été levé, mais non, bien sûr, l'énigme de sa perfection : l'originalité du génie subsiste, inentamée, pour aujourd'hui et pour demain.

Sa vie durant, Diderot n'a jamais parlé du *Neveu*. Sa correspondance n'est pas moins muette. Naigeon, disciple respectueux, n'évoque que bien après la mort du maître, survenue en 1784, « une excellente satire [connue] sous le nom de *Neveu de Rameau*, aussi originale que celui dont elle porte le nom ». C'est peu. Diderot pour sa part cite une fois, une seule, dans un de ses *Salons*, le protagoniste de son dialogue, mais parle-t-il, lorsqu'il cite « Rameau le fou », de Jean-François, personnage réel (et falot) dont il s'inspire, ou de celui, fictif, qu'il recompose sur sa page ? Il se tait obstinément sur l'œuvre. Ainsi, on ne sait exactement quand elle a été composée : entre 1761, date des premières allusions historiques repérées, et les années 1780, sans doute en plusieurs temps — mais lesquels ? Nul n'en sait rien. On peut pourtant deviner pourquoi le Philosophe, en d'autres circonstances causeur disert et extraverti, a gardé un silence aussi hermétique. Plus encore que pour d'autres textes, il y allait de sa sécurité.

Jeune provincial bouillant et brillant en rupture de tradition familiale (même s'il a bénéficié d'une excellente formation classique, dispensée par les jésuites, puis par la Sorbonne), curieux de tout, doué pour tout, boulimique de savoir et de jouissance, frondeur et profond, Denis Diderot n'a pas manqué de connaître lors de ses débuts parisiens dans le monde des lettres, des sciences et des arts les pires difficultés avec le pouvoir en place. Le trône et l'autel, comme on sait, étaient alors étroitement liés. Codirecteur avec D'Alembert, à partir de 1747, de l'*Encyclopédie*, auteur de la *Lettre sur les aveugles à l'usage de ceux qui voient*, Diderot, surveillé par la police, est dénoncé par son curé pour impiété notoire, arrêté et incarcéré à Vincennes au cours de l'été 1749. Soutenu par ses « libraires » intéressés à la poursuite de l'entreprise encyclopédique, défendu jusque dans la Cour par des personnalités éclairées, il n'obtient son élargissement, au bout de trois mois, qu'au prix de la promesse de ne plus rien publier qui pût indisposer les autorités du moment — ce qui revenait à lui ordonner de se taire sur tout ce qui lui importait : politique, mœurs, religion, philosophie... Dure épreuve. Il lui fallait donc à l'avenir être prudent, rusé et patient. Il le sera en effet. Combien de textes de sa plume édulcorés, masqués, protégés par une forme rébarbative ou ambiguë, combien d'autres tout simplement impubliés, conservés dans ses tiroirs, perdus peut-être !

Pour ce qui est du *Neveu de Rameau*, quand Diderot s'y engage, l'essentiel n'est pas, il est vrai, le péril où pouvaient le mettre des prises de position idéologiques audacieuses dans les domaines interdits comme, pour *La Religieuse* par exemple, la critique en profondeur de la vie conventuelle, ou pour *Le Rêve de D'Alembert* une réflexion scientifico-philosophique à la lumière de son matérialisme poétique. Ce qu'il peut à bon droit redouter ici, c'est l'effet des attaques personnelles très vives, sur le ton de la satire antique, qu'il dirige sans ménagement contre des puissants du jour dont il a eu à pâtir. À cet égard la *Satire seconde* s'inscrit dans le droit fil de la *Satire première*, texte bref qui expose, en invoquant les mêmes références animales grimaçantes, le même thème du « grand branle de la terre », la « pantomime des gueux ». Universelle ménagerie que cette société où toutes les « espèces » (le terme signifie également alors, dans le jargon de société, gueux, individu méprisable) se déchirent pour se réconcilier un instant à la gamelle :

> « Les folies de cet homme, lit-on à propos de Rameau le neveu, les contes de l'abbé Galiani, les extravagances de Rabelais m'ont quelquefois fait rêver profondément. Ce sont trois magasins où je me suis pourvu de masques ridicules que je place sur le visage des plus graves personnages ; et je vois Pantalon dans un prélat, un satyre dans un président, un pourceau dans un cénobite, une autruche dans un ministre, une oie dans un premier commis. » (p. 141-142.)

Sa *Satire seconde* s'en prend dans cet esprit aux financiers Bertin, Bouret, Montsauge et Villemorien, nouveaux riches prétentieux, protecteurs à leur manière des arts et des sciences, à la tête de leurs « ménageries » antiphilosophiques où l'on trouve non loin de Rameau le « fieffé truand », de Poinsinet le mystifié, de Robbé l'énergumène, et parmi d'autres ventres affamés prêts à se vendre pour un dîner, une « actrice » comme Mlle Hus, maîtresse affichée de Bertin, les folliculaires Palissot, Fréron, Baculard d'Arnaud, Dorat, Bret, l'abbé de La Porte, d'autres encore, adversaires des encyclopédistes au profit du très influent « parti dévot ». Elle s'en prend à *L'Année littéraire*, *L'Observateur littéraire, Le Censeur hebdomadaire*, tant d'autres feuilles qui n'ont cessé de déchirer à belles dents les « philosophes » leurs ennemis... Diderot, devant sa page, le leur rend bien. Caricature pour caricature que cette *satire* ou *satyre* — de *satura*, « pot-pourri » en latin, le XVIIIe siècle ne distinguant pas entre les deux orthographes. Telle est la position « ésotérique » du Philosophe, à la fois la plus personnelle et la plus polémique. Mais c'est là sans doute l'une des raisons, pour autant qu'on puisse les démêler, du charme étrange, entre liberté et contrainte, virulence et secret, de ce texte sans équivalent.

On imagine le Philosophe se lançant un matin dans son improvisation vengeresse, où il fustige à l'envi ceux qui lui ont nui, qui l'ont fait souffrir et qu'il méprise. Il y exprime ses rages rentrées et en prime, au moyen de l'exercice esthétique, se fait plaisir, en procurant par délégation, et cette fois-ci loin de l'enjeu personnel, le même plaisir à ses lecteurs. Car l'ouvrage a bien été composé pour être publié. Ce *Neveu de Rameau* gardé obstinément sous le coude ne peut se réduire à une récréation de pure circonstance, un simple divertissement compensatoire. Au fil des années, développé, complété, il est devenu paradoxalement un message lancé en direction du Public ultérieur. Le paradoxe n'en est pas un, si l'on considère le cas que faisait Diderot, matérialiste athée, de la Postérité. Il s'en explique dans sa longue correspondance des années 1765-1766 avec le sculpteur Falconet, alors à Pétersbourg. Pour Diderot, rédigeant sa satire en souhaitant qu'elle soit plus tard publiée, le plaisir s'est à l'évidence épuré sans se renier. C'est ainsi, peut-on penser, que naît un texte superbe, pétri d'esprit, une revue gaie et mordante, sans autre jargon que celui, savoureusement noté et revu par ses soins, de l'« original » Jean-François Rameau. Avec toute la virtuosité de la maturité, Diderot égrène les idées, les jeux de mots, les anecdotes, les personnages, les allusions, les formules et les aperçus sur tous les sujets, autorisés ou non, à profusion. Mais la verve, sous un apparent désordre, est maîtrisée. L'entretien libre et jaillissant, pétillant d'ironie, s'est fait *œuvre*, savamment, supérieurement orchestrée.

Cette œuvre ignorée de tous n'a pu cheminer d'abord que sous le manteau. Après l'inévitable secret de la conception, on comprend la discrétion non moins nécessaire de la publication, et donc les aléas de la diffusion. Ces avatars empruntent d'étranges chemins, toujours entre liberté et contrainte. Ce sont ceux d'un écrivain étincelant mais sous étroite surveillance dans son pays, d'un philosophe français entravé mais exposé aux regards de l'Europe cultivée, d'un « intellectuel » célèbre mais contesté, calomnié, après la campagne menée contre les « Cacouacs », par la comédie-charge des *Philosophes* (1760) qui l'a tout particulièrement blessé. Responsable admiré et haï de l'*Encyclopédie*, chef reconnu du parti encyclopédique, discrètement soutenu par Mme de Pompadour et par l'admirable Malesherbes, directeur de la « librairie » (c'est-à-dire responsable de la censure !), mais détesté par Versailles et honni par le parti jésuite, Diderot, qui vit chichement et travaille sans compter, qui n'aime pas Frédéric de Prusse, s'attire les faveurs de la nouvelle tsarine de Russie, Catherine II. Celle-ci, princesse prussienne francophone gagnée par les idées modernes, accède en 1762 dans des circonstances agitées au trône de Pierre le Grand. Elle voit tout le parti à tirer du prestige dont jouissent dans l'Europe entière, autour de D'Alembert, Diderot, d'Holbach, Grimm, tant de savants, d'écrivains, d'artistes et de philosophes des Lumières. Certains de ceux-ci, de leur côté, mettent leurs espoirs dans l'action de la nouvelle souveraine pour abolir la séculaire autocratie russe et instaurer au « Nord » une ère de progrès en tous domaines. Diderot est du nombre. Catherine obtient en 1765, par un acte de mécénat éclatant, d'acheter contre une pension la bibliothèque de Diderot, livrable seulement, ainsi que ses manuscrits, après la mort du philosophe. Telle est la raison pour laquelle, devenu non sans bien des malentendus l'obligé d'une Altesse qu'il alla visiter en 1773-1774, Diderot fit confectionner avec le plus grand soin et à son intention, au cours des années 1780, la collection complète de ses manuscrits — dont celui du *Neveu de Rameau* ! Tours et détours du destin !

La suite n'est pas moins étonnante. Alors que les héritiers de Diderot, sa fille Mme de Vandeul et son gendre, édulcorent par pusillanimité la version qu'ils détiennent de leur côté, la copie de Saint-Pétersbourg tombe dans les mains de Klinger, poète dramatique allemand alors officier en Russie, qui tente de la monnayer. Ce précieux document parvient finalement à Schiller, lequel se hâte de le communiquer à Goethe, son intime ami. Et voilà comment en 1805 l'auteur de *Faust*, en pleine guerre européenne, et alors même qu'une partie du jeune nationalisme allemand s'en prend sans nuances à la France et aux Lumières, traduit ce qu'il considère immédiatement comme « l'un des chefs-d'œuvre de Diderot » sous le titre de *Rameaus Neffe*. Il accompagne cette traduction d'une étude et de commentaires qui témoignent de l'intérêt considérable qu'il y porte. Lorsqu'en 1821 paraît à Paris la première édition française, c'est, sans vergogne, la supercherie d'une retraduction à effets de la traduction de Goethe qui est proposée au public sous le nom d'inédit ! Nouvelle plaisanterie du destin ! La publication suivante, dans l'édition Brière de 1823, propose le manuscrit Vandeul, mais hélas, comme on sait, toiletté, défiguré. Après les grandes éditions du XIXe siècle, qui retrouvent des copies de qualité, c'est finalement Georges Monval, bibliothécaire de la Comédie-Française, qui découvre à la fin du siècle chez un bouquiniste du quai Voltaire, parmi un grand amoncellement de pièces de théâtre imprimées, un excellent manuscrit autographe de l'œuvre, intitulé *Satire seconde*, qu'il fait enfin connaître au plus large public. Le manuscrit se trouve aujourd'hui — ultime détour ? — à la Pierpont Morgan Library de New York.

« Qu'il fasse beau, qu'il fasse laid, c'est mon habitude d'aller sur les cinq heures du soir me promener au Palais-Royal... » Diderot, narrateur curieux, sollicité par ses propres pensées (« mes pensées, ce sont mes catins »), y est retenu une fois l'an, dit-il, par telle ou telle « espèce » qui y croise. Cette fois c'est Rameau, le neveu, qu'il rencontre sur son chemin : « un des plus bizarres personnages de ce pays où Dieu n'en a pas laissé manquer. C'est un composé de hauteur et de bassesse, de bon sens et de déraison... ». Pourvu qu'on n'en abuse pas, celui-là, contradiction faite homme, est un révélateur hors pair, un « grain de levain qui fermente et qui restitue à chacun une portion de son individualité naturelle ». Il suffit de lancer la conversation, un pot de bière en main. Les voilà réunis au café de la Régence, au milieu des buveurs et des joueurs d'échecs. L'espace d'un après-midi deux mondes se reconnaissent, s'entretiennent et s'entrechoquent. D'un côté, pitoyable neveu du grand Rameau, un personnage pittoresque, connu de la bohème parisienne, littérateur et musicien raté, « moraliste » paradoxal, moqué, perverti et cynique, LUI, mythifié pour la circonstance par le génie du philosophe ; et de l'autre côté MOI, ce philosophe même, sage (trop sage ?), sarcastique, honnête (mais est-on trop honnête ?), hésitant entre l'admiration, le rire et la révolte. Se retrouvent-ils dans la critique de Jean-Philippe Rameau, compositeur et théoricien dévalué aux yeux des philosophes depuis la « querelle des Bouffons » et ouvertement envié par son neveu ? Oui, mais en partie seulement. Sont-ils des adversaires, ou des doubles ? Non, des duettistes, réunis fugitivement en un duo-duel où les déclarations provocantes du parasite se heurtent (et parfois, en profondeur, se conforment) aux principes philosophiques de l'homme de bien, faisant d'une conversation subtilement désaccordée la dénonciation au second degré des mécènes et des puissants qui entretiennent la calomnie du ruisseau. Derrière Bertin et sa « cohue » aux gages, Choiseul, le ministre de Louis XV, figure en perspective au fond du tableau. Que de turpitudes ! Que d'exemples surprenants, rebutants, d'humanité folle et pervertie ! Mais aussi, que de talent, que de plaisir à les décrire, à les fustiger ! Et le Neveu de surenchérir, en faisant l'apologie de l'ingratitude, de la paresse, de la flatterie, du mensonge, de la luxure, de la trahison, de la corruption (des filles innocentes), du culte de l'or (à l'usage de son tout jeune fils !), du proxénétisme (en la personne de sa propre femme !). Mais n'est-ce pas là le train ordinaire des choses ? « On m'a voulu ridicule, et je me le suis fait. » Il faut en convenir, la folie mène le monde :

> « Il n'y a point de meilleur rôle auprès des grands que celui de fou. Longtemps il y a eu le fou du roi en titre ; en aucun, il n'y a eu en titre le sage du roi. Moi je suis le fou de Bertin et de beaucoup d'autres, le vôtre peut-être dans ce moment ; ou peut-être vous, le mien. Celui qui serait sage n'aurait point de fou. Celui donc qui a un fou n'est pas sage ; s'il n'est pas sage, il est fou ; et peut-être, fût-il roi, le fou de son fou. » (p. 89.)

Sagacité de la dépravation... Maîtrise aussi de la dénonciation. La satire se renverse, s'élargit. Partagé entre la fascination et le dégoût, le philosophe sait rester attentif à ce qui, le scandalisant, le concerne et, bien sûr, l'instruit. Le dialogue, dépassant par là les limites d'un règlement de comptes avec ses adversaires anti-philosophes, devient l'occasion d'un examen de soi dénué de complaisance, mais non d'humour, qui considère avec un salutaire recul les valeurs humanistes proclamées des Lumières, sans pourtant les renier, sans les désavouer : exemple digne d'être noté pour qui, au milieu des travaux et des combats, n'a pu éviter toujours compositions, voire compromissions.

Et voilà comment, par la qualité d'une écriture souveraine, par la force comique des contradictions mises en jeu dans le dialogue, mais aussi, mêlé à la virulence de la satire, par le magnifique hommage rendu, au nom de la langue française, à la musique, au théâtre et à la danse, Diderot s'est haussé dans cette œuvre intime et secrète au plus haut rang de la poésie. Ses rares premiers lecteurs (rares, comme on l'a vu, à tous les sens du mot) ont su aussitôt le reconnaître : Goethe, Schiller, Hegel qui, ayant lu la *Satire* par hasard, par chance, ont salué cette partition artistico-morale, ce pas de deux entre le dérisoire et le sublime comme un cadeau des dieux. Le Neveu, *Autre* défiguré et abêti, bien qu'excellent théoricien à ses heures et fin critique, y est alors transfiguré aux yeux de MOI-Diderot, et donc aux nôtres. Alors que la verve étourdissante des dialogues et des descriptions nous étonne et nous comble tout à la fois, les pantomimes qui les ponctuent (les grandes pantomimes musicales en particulier) relèvent de ces exploits de la plume qui laissent, proprement, *sans voix*, car elles parviennent à exprimer la grâce intérieure qui continue d'habiter une âme abjecte. Dans le profond silence de notre lecture, la beauté ineffable de cette musique-là, mêlée de bassesse et dénaturée par l'échec d'une vie, ne laisse pas de nous envahir. Improvisant d'inaudibles *arias*, touchant un clavecin imaginaire, maniant l'archet jusqu'au supplice d'une perfection figurée, le bouffon ridicule qui attire les quolibets des curieux réalise ce tour de force — avant de s'écrouler épuisé, désarticulé — d'apparaître un instant comme l'interprète inspiré d'un chant inouï, le truchement de l'insondable mystère dont nous sommes faits... Interprète virtuel de l'indicible : n'est-il pas vrai que

Le Neveu de Rameau ne cesse d'apparaître jusqu'à nos jours, aux extrêmes limites de l'art et de la pensée, comme l'exemple même le plus public et le plus éclatant du *chef-d'œuvre inconnu* ?

Pierre CHARTIER

Note sur la présente édition

Le texte de référence de cette édition est, à d'infimes détails près, celui qu'a procuré J. Chouillet en 1982 pour Le Livre de Poche. Rappelons que l'orthographe du manuscrit autographe a été modernisée, ainsi que les signes marquant les dialogues. La ponctuation en revanche a été scrupuleusement respectée : elle marque le rythme du texte, sa respiration même.

Dans les *notes*, le mot *article*, sans autre précision, désigne un article éponyme de l'*Encyclopédie* (1751-1765). *Académie*, *Furetière*, *Féraud*, *Trévoux* et *Littré* désignent les dictionnaires dont ces groupes ou personnes sont les auteurs. Le *Furetière* a été publié en 1690. Les exemples tirés de l'*Académie* (4e éd. 1762, 5e éd. 1798), du *Trévoux*, d'obédience jésuite (1732 – supp.t 1752) et de *Féraud* (1761-1786) ne sont jamais postérieurs au XVIIIe siècle. Enfin, *Littré* est le grand dictionnaire de la langue classique élaboré au XIXe siècle.

LE NEVEU DE RAMEAU[1]

Vertumnis, quotquot sunt, natus iniquis[2]
HORAT., Lib. II, *Satyr.* VII.

Qu'il fasse beau, qu'il fasse laid, c'est mon habitude d'aller sur les cinq heures du soir me promener au Palais-Royal[3]. C'est moi qu'on voit, toujours seul, rêvant sur le banc d'Argenson[4]. Je m'entretiens avec

---

1. Le titre *Satyre seconde* figure seul en tête du manuscrit Monval, référence de cette édition. *Le Neveu de Rameau*, titre de la traduction de Goethe et des copies du fonds Vandeul, a été ajouté après coup sur le manuscrit Monval. Il est resté le titre usuel. **2.** « Né sous la capricieuse influence de tous les Vertumnes réunis. » Vertumne (racine *vorto-verto*) était le dieu latin, ici multiplié par le pluriel, qui présidait aux changements de temps et de saison. Horace, poète de prédilection de Diderot, évoque dans sa satire un certain Priscus qui est donné pour le burlesque symbole de l'inconstance humaine (*inæqualis-iniquus*). Ainsi que l'explique J. Fabre, il prélude à la figure, toute en voltes contradictoires, du Neveu, mais aussi à celle du philosophe lui-même, soumis à ses « catins », susceptible « en une journée » de « cent physionomies diverses » selon la chose dont il est affecté (*Salon de 1767*). **3.** Le Palais-Royal, Opéra compris (avant l'incendie de 1763), était l'un des centres du Paris d'alors, animé, bruissant et fréquenté par un public très mêlé. Le duc d'Orléans, propriétaire des lieux, ne fit fermer le quadrilatère d'immeubles, avec les arcades que nous connaissons aujourd'hui, qu'en 1781, en prenant sur les jardins. Comme l'a montré J. Chouillet, le jardin, la place du Palais-Royal et le café de la Régence se trouvaient disposés dans un même espace ouvert mais circonscrit, référence parfaite, en un « après-dîner » (après-midi), à la très classique unité de lieu et de temps où se déploie la satire. **4.** Dans le jardin rénové en 1730-1732, on trouve, située à l'est près d'un café du même nom, l'allée de Foy, où se pressaient de nombreuses courtisanes. Elle faisait pendant à l'allée d'Argenson, à l'ouest, dont Diderot parle dans plusieurs de ses lettres à Sophie Vol-

moi-même de politique, d'amour, de goût ou de philosophie. J'abandonne mon esprit à tout son libertinage [1]. Je le laisse maître de suivre la première idée sage ou folle qui se présente, comme on voit dans l'allée de Foy nos jeunes dissolus marcher sur les pas d'une courtisane à l'air éventé, au visage riant, à l'œil vif, au nez retroussé, quitter celle-ci pour une autre, les attaquant toutes et ne s'attachant à aucune. Mes pensées, ce sont mes catins [2]. Si le temps est trop froid, ou trop pluvieux, je me réfugie au café de la Régence [3] ; là je m'amuse à voir jouer aux échecs. Paris est l'endroit du monde, et le café de la Régence est l'endroit de Paris où l'on joue le mieux à ce jeu. C'est chez Rey que font assaut : Legal [4] le profond, Philidor le subtil, le solide

---

land de 1759 : ils aimaient s'y retrouver — pas toujours seuls — sur un banc.

1. Depuis le XVIe siècle, le terme *libertin* (*libertinage* date de 1606, François de Sales) perd son sens religieux de « dissident abusant de sa liberté de penser » (Calvin, 1544), et *a fortiori* ignore l'étymologie de *libertinus*, esclave affranchi dans le monde gréco-latin. Au cours du XVIIe siècle l'amalgame s'effectue, chez les adversaires des libertins, entre un sens philosophique (rebelle doutant des dogmes de l'Église, déiste, athée) et un sens moral (débauché, dépravé), comme le montre l'exemple du *Dom Juan* de Molière. Cet emploi tend à se généraliser. « Débauche et mauvaise conduite », dit l'*Académie* de *libertinage* en 1698. Diderot, dans cet exemple comme dans les suivants, joue de cette évolution comme de l'ambiguïté attachée à une conduite ou à une doctrine « libres ». **2.** On appréciera le choix d'un terme qui, gardant encore quelque chose de sa simplicité première (« Petite Catherine »), n'est pas tant dépréciatif que « léger » et virevoltant. **3.** Tenu depuis 1745 par un certain Rey, le café de la Régence, place du Palais-Royal, était effectivement célèbre pour ses joueurs d'échecs. Outre Diderot, qui fut un spectateur assidu des « pousseurs de bois », Marmontel et Jean-Jacques Rousseau le fréquentèrent. Mme de Vandeul affirme que sa mère donnait chaque jour « six sous » à son père « pour aller prendre sa tasse au café à la Régence et voir jouer aux échecs ». Rappelons que Diderot habitait depuis 1754 rue Taranne, près de Saint-Germain-des-Prés. **4.** Diderot cite dans sa correspondance M. de Kermuy, sire de Legal, comme un « oracle » des échecs. François André Danican, dit Philidor (1726-1795), joueur réputé, était un célèbre musicien, auteur d'opéras-comiques (dont il sera question plus loin) et d'une *Analyse du jeu d'échecs* demeurée classique. Diderot regrette qu'il néglige la musique pour l'art des échecs. Mayot et Foubert ne sont pas autrement connus.

Mayot ; qu'on voit les coups les plus surprenants, et qu'on entend les plus mauvais propos ; car si l'on peut être homme d'esprit et grand joueur d'échecs, comme Legal, on peut être aussi un grand joueur d'échecs, et un sot, comme Foubert et Mayot. Un après-dîner, j'étais là, regardant beaucoup, parlant peu, et écoutant le moins que je pouvais ; lorsque je fus abordé par un des plus bizarres personnages de ce pays où Dieu n'en a pas laissé manquer. C'est un composé de hauteur et de bassesse, de bon sens et de déraison. Il faut que les notions de l'honnête et du déshonnête soient bien étrangement brouillées dans sa tête ; car il montre ce que la nature lui a donné de bonnes qualités, sans ostentation, et ce qu'il en a reçu de mauvaises, sans pudeur. Au reste il est doué d'une organisation forte, d'une chaleur d'imagination singulière, et d'une vigueur de poumons peu commune. Si vous le rencontrez jamais et que son originalité ne vous arrête pas ; ou vous mettrez vos doigts dans vos oreilles, ou vous vous enfuirez. Dieux, quels terribles poumons. Rien ne dissemble plus de lui que lui-même. Quelquefois, il est maigre et hâve, comme un malade au dernier degré de la consomption ; on compterait ses dents à travers ses joues. On dirait qu'il a passé plusieurs jours sans manger, ou qu'il sort de la Trappe. Le mois suivant, il est gras et replet, comme s'il n'avait pas quitté la table d'un financier, ou qu'il eût été renfermé dans un couvent de Bernardins[1]. Aujourd'hui, en linge sale, en culotte déchirée, couvert de lambeaux, presque sans souliers, il va la tête basse, il se dérobe, on serait tenté de l'appeler, pour lui donner l'aumône. Demain, poudré, chaussé, frisé, bien vêtu, il marche la tête haute, il se montre, et vous le prendriez au peu près[2] pour un honnête homme. Il vit au jour la

---

1. L'abbaye de la Trappe, réformée au XVIIe siècle par l'abbé de Rancé, est connue pour son austérité, alors que les Bernardins, Cisterciens réformés par saint Bernard au XIIe siècle, avaient acquis avec le temps une réputation tout opposée. **2.** C'est la seule occurrence connue de cette expression, qui signifie « à peu près ».

journée. Triste ou gai selon les circonstances. Son premier soin, le matin, quand il est levé, est de savoir où il dînera : après dîner, il pense où il ira souper. La nuit amène aussi son inquiétude. Ou il regagne, à pied, un petit grenier qu'il habite, à moins que l'hôtesse ennuyée d'attendre son loyer, ne lui en ait redemandé la clef ; ou il se rabat dans une taverne du faubourg où il attend le jour, entre un morceau de pain et un pot de bière. Quand il n'a pas six sols dans sa poche, ce qui lui arrive quelquefois, il a recours soit à un fiacre[1] de ses amis, soit au cocher d'un grand seigneur qui lui donne un lit sur de la paille, à côté de ses chevaux. Le matin, il a encore une partie de son matelas dans ses cheveux. Si la saison est douce, il arpente toute la nuit le Cours ou les Champs-Élysées[2]. Il reparaît avec le jour, à la ville, habillé de la veille pour le lendemain, et du lendemain quelquefois pour le reste de la semaine. Je n'estime pas ces originaux[3]-là. D'autres en font leurs connaissances familières, même leurs amis. Ils

---

1. Carrosse de louage, *fiacre* est aussi le nom du cocher qui le conduit, selon *Féraud*. **2.** Ces promenades étaient alors situées à l'extérieur de la ville. Le Cours, ou Petit Cours, ou Cours la Reine, avait été créé par Marie de Médicis en 1628 en aval des Tuileries, le long de la Seine. Il était déjà fort fréquenté. Les Champs-Élysées, terrains vagues jusqu'à l'étoile de Chaillot (F.-Roosevelt actuel), étaient traversés par le Grand Cours, ou Cours des Tuileries. Tous ces lieux étaient mal famés la nuit. Les Champs-Élysées, aménagés et aplanis à leur sommet (vers l'Étoile actuelle), ne devinrent populaires qu'à partir de 1770. **3.** *Original*, comme *originalité*, comme *composé* (terme scientifique), ou comme *individualité* (1760), est un terme utilisé depuis peu. Il a souvent une acception dépréciatrice : « un homme qui a quelque chose d'extravagant, de singulier et de ridicule dans ses manières ou dans son esprit », dit *Trévoux*. Même chose pour le titre de la comédie anti-philosophique de Palissot, *Le Cercle ou les originaux*. Positivement « original » signifie « qui n'a point puisé ses pensées dans les autres » (*Trévoux*) ; il est donc proche d'« originel », mais aussi de l'emploi actuel. Diderot, qui apprécie ce mot, lui donne en général un sens très positif. L'original, par exemple Galiani ou d'Holbach, tranche sur la « fastidieuse uniformité » des mœurs et de la politesse modernes par des qualités de spontanéité, de bizarrerie et de profondeur. On voit que pour le Neveu la position de Diderot est plus complexe.

m'arrêtent une fois l'an, quand je les rencontre, parce que leur caractère tranche avec celui des autres, et qu'ils rompent cette fastidieuse uniformité que notre éducation, nos conventions de société, nos bienséances d'usage ont introduite. S'il en paraît un dans une compagnie, c'est un grain de levain qui fermente et qui restitue à chacun une portion de son individualité naturelle. Il secoue, il agite ; il fait approuver ou blâmer ; il fait sortir la vérité ; il fait connaître les gens de bien ; il démasque les coquins ; c'est alors que l'homme de bon sens écoute, et démêle son monde [1].

Je connaissais celui-ci de longue main [2]. Il fréquentait dans une maison dont son talent lui avait ouvert la porte. Il y avait une fille unique. Il jurait au père et à la mère qu'il épouserait leur fille. Ceux-ci haussaient les épaules, lui riaient au nez, lui disaient qu'il était fou, et je vis le moment que la chose était faite. Il m'empruntait quelques écus que je lui donnais. Il s'était introduit, je ne sais comment, dans quelques maisons honnêtes, où il avait son couvert, mais à la condition qu'il ne parlerait pas, sans en avoir obtenu la permission. Il se taisait, et mangeait de rage. Il était excellent à voir dans cette contrainte. S'il lui prenait envie de manquer au traité, et qu'il ouvrît la bouche ; au premier mot, tous les convives s'écriaient : ô Rameau ! Alors la fureur étincelait dans ses yeux, et il se remettait à manger avec plus de rage. Vous étiez curieux de savoir le nom de l'homme, et vous le savez. C'est le neveu de ce musicien célèbre [3] qui nous a

---

1. Ce portrait n'est pas sans ressemblances avec celui qu'Alcibiade dresse de Socrate (la « torpille ») dans le *Banquet*, ainsi qu'avec l'éloge du même Socrate par Ménon, dans le dialogue qui porte ce nom. **2.** Depuis longtemps. **3.** Jean-Philippe Rameau, né à Dijon en 1683, mort en 1764 à Paris, organiste et auteur d'opéras-ballets (comme *Les Indes galantes*), de tragédies lyriques (comme *Hippolyte et Aricie*), de comédies-ballets (comme *Platée*), théoricien de la musique (à partir de son *Traité d'harmonie*, en 1722). Son frère, Claude-François, a été organiste à Dijon. Son neveu, Jean-François, né à Dijon en 1716, mort peut-

délivrés du plain-chant de Lulli [1] que nous psalmodiions depuis plus de cent ans ; qui a tant écrit de visions inintelligibles et de vérités apocalyptiques sur la théorie de la musique, où ni lui ni personne n'entendit jamais rien, et de qui nous avons un certain nombre d'opéras où il y a de l'harmonie, des bouts de chants, des idées décousues, du fracas, des vols, des triomphes, des lances, des gloires, des murmures, des victoires [2] à perte d'haleine ; des airs de danse qui dureront éternellement, et qui, après avoir enterré le Florentin, sera enterré par les virtuoses [3] italiens, ce qu'il pressentait et le rendait sombre, triste, hargneux : car personne n'a autant d'humeur, pas même une jolie femme qui se lève avec un bouton sur le nez, qu'un auteur menacé de survivre à sa réputation [4] ; témoins Marivaux et Crébillon le fils [5].

être en 1781, se maria en février 1757 avec Ursule Nicole Fruchet dont il eut un fils, mort en juin 1761.

1. Le « plain-chant » « psalmodié » de Jean-Baptiste Lulli, originaire de Florence (1632-1687), a été jugé au XVIIIe siècle trop monodique, simpliste, bref dépassé, par les admirateurs de Rameau, dont faisait partie Diderot. C'est pourquoi le premier est plaisamment nommé *Utmiutsol* dans *Les Bijoux indiscrets* de 1748, et le second *Utrémimifasolasiututut* : « singulier, brillant, composé, savant, trop savant quelquefois », chap. XIII. Dès la « querelle des Bouffons » de 1753, consécutive au succès de *La Serva Padrona* de Pergolèse, « *opera buffa* » joué par les Italiens, Diderot, comme Grimm, comme Rousseau, comme le parti philosophique en général, devient un partisan de la musique italienne, plus naturelle, plus mélodique, plus propre selon lui à imiter les passions que la musique française, et notamment celle de Rameau. **2.** J. Fabre rapproche justement ces termes d'un passage des *Entretiens sur le Fils naturel* (1757) qui évoque une œuvre lyrique où il n'y aurait « ni *lance*, ni *victoire*, ni *tonnerre*, ni *vol*, ni *gloire*, ni aucune de ces expressions qui feront le tourment d'un poète, tant qu'elles seront l'unique et pauvre ressource du musicien ». C'est donc une critique de la musique française, de ses livrets convenus et de son inspiration artificielle. **3.** Le mot *virtuose* est lui-même un italianisme signifiant ici « qui excelle dans son art ». **4.** Il semble que Jean-Philippe Rameau ne soit déjà plus de ce monde au moment où l'auteur s'adresse au lecteur. Sur ces repères chronologiques qui définissent le moment majeur de référence du dialogue (années 1761-1764), le texte de Diderot, comme on verra, n'est pas sans inconséquences. **5.** On sait que Diderot, ainsi que l'ensemble des philosophes, n'appréciait ni Marivaux (mort en 1763) ni Crébillon fils (mort en 1777). Le premier était un « moderne » bien éloigné du « grand goût », accusé de « peser des œufs de mouche dans des balances de toiles d'araignée », c'est-à-dire d'user

Il m'aborde. Ah, ah, vous voilà, M. le philosophe ; et que faites-vous ici parmi ce tas de fainéants ? Est-ce que vous perdez aussi votre temps à pousser le bois ? C'est ainsi qu'on appelle par mépris jouer aux échecs ou aux dames.

MOI. — Non ; mais quand je n'ai rien de mieux à faire, je m'amuse à regarder un instant, ceux qui le poussent bien.

LUI. — En ce cas, vous vous amusez rarement ; excepté Legal et Philidor, le reste n'y entend rien.

MOI. — Et M. de Bissy [1] donc.

LUI. — Celui-là est en joueur d'échecs, ce que Mlle Clairon [2] est en acteur. Ils savent de ces jeux, l'un et l'autre, tout ce qu'on en peut apprendre.

MOI. — Vous êtes difficile ; et je vois que vous ne faites grâce qu'aux hommes sublimes.

LUI. — Oui, aux échecs, aux dames, en poésie, en éloquence, en musique, et autres fadaises comme cela. À quoi bon la médiocrité dans ces genres.

MOI. — À peu de chose, j'en conviens. Mais c'est qu'il faut qu'il y ait un grand nombre d'hommes qui s'y appliquent, pour faire sortir l'homme de génie [3]. Il

---

sur des sujets frivoles d'un jargon inintelligible, ridiculement entortillé. Pour Prosper Jolyot de Crébillon, fils du dramaturge, longtemps censeur royal, il était également considéré par les philosophes comme un petit-maître ampoulé. Diderot, qui cite son chef-d'œuvre, *Les Égarements du cœur et de l'esprit*, le connaît bien. *Le Sopha*, ainsi que *Tanzaï et Néadarné*, font partie des modèles des *Bijoux indiscrets*.

1. Claude-Henri de Bissy, comte de Thiard, membre de l'Académie française, fut traducteur de Bolingbroke et de Young. **2.** Claire-Hippolyte Léris de Latude, dite la Clairon (1723-1802), célèbre tragédienne, grande interprète de Voltaire, devint membre de la Comédie-Française en 1743. Elle tenta de s'opposer à la représentation des *Philosophes* de Palissot dans cette maison. Diderot la cite avec éloge dans le *Paradoxe sur le comédien* comme l'exemple « parfait » de la comédienne de sang-froid. C'est à ce double titre (amie des philosophes et comédienne de tête) qu'il faut comprendre la critique du Neveu. **3.** Le « génie » est une notion essentielle de la philosophie de Diderot. Tantôt l'homme de génie est une création unique dont la perte est irréparable (article LEIBNITZIANISME), tantôt il est le résultat d'une somme d'efforts collectifs dont la combinaison est aléatoire (article JÉSUS-CHRIST). L'homme de génie est doué d'une grande sensibilité, mais maîtrisée.

est un dans la multitude. Mais laissons cela. Il y a une éternité que je ne vous ai vu. Je ne pense guère à vous, quand je ne vous vois pas. Mais vous me plaisez toujours à revoir. Qu'avez-vous fait ?

LUI. — Ce que vous, moi et tous les autres font ; du bien, du mal et rien. Et puis j'ai eu faim, et j'ai mangé, quand l'occasion s'en est présentée ; après avoir mangé, j'ai eu soif, et j'ai bu quelquefois. Cependant la barbe me venait ; et quand elle a été venue, je l'ai fait raser.

MOI. — Vous avez mal fait. C'est la seule chose qui vous manque, pour être un sage.

LUI. — Oui-da. J'ai le front grand et ridé ; l'œil ardent ; le nez saillant ; les joues larges ; le sourcil noir et fourni ; la bouche bien fendue ; la lèvre rebordée [1] ; et la face carrée. Si ce vaste menton était couvert d'une longue barbe, savez-vous que cela figurerait très bien en bronze ou en marbre.

MOI. — À côté d'un César [2], d'un Marc Aurèle, d'un Socrate.

LUI. — Non, je serais mieux entre Diogène [3] et Phryné. Je suis effronté comme l'un, et je fréquente volontiers chez les autres.

MOI. — Vous portez-vous toujours bien ?

LUI. — Oui, ordinairement ; mais pas merveilleusement aujourd'hui.

MOI. — Comment ? vous voilà avec un ventre de Silène [4] ; et un visage...

LUI. — Un visage qu'on prendrait pour son antago-

---

1. Saillante, qui fait rebord. Ce mot est inconnu des dictionnaires du temps. **2.** César, écrivain, chef militaire et politique, est un peu incongru à côté de deux philosophes chenus, l'empereur stoïcien Marc Aurèle et Socrate, le sage par excellence. **3.** Diogène, le philosophe antique dans son tonneau, qui se moque des conventions, notamment sexuelles, et « annonce aux hommes le bien et le mal sans flatterie » (article CYNIQUE), accompagne logiquement Phryné, courtisane grecque du IVe siècle av. J.-C. **4.** Avec Silène, vieux satyre joueur de flûte, jovial, aviné, ventru, laid et barbu, sorte de Diogène burlesque mais divinisé, c'est une autre figure antique de sensualité libre qui est convoquée par le dialogue.

niste. C'est que l'humeur[1] qui fait sécher mon cher oncle engraisse apparemment son cher neveu.

MOI. — À propos de cet oncle, le voyez-vous quelquefois ?

LUI. — Oui, passer dans la rue.

MOI. — Est-ce qu'il ne vous fait aucun bien ?

LUI. — S'il en fait à quelqu'un, c'est sans s'en douter. C'est un philosophe[2] dans son espèce. Il ne pense qu'à lui ; le reste de l'univers lui est comme d'un clou à soufflet[3]. Sa fille et sa femme n'ont qu'à mourir, quand elles voudront ; pourvu que les cloches de la paroisse, qu'on sonnera pour elles, continuent de résonner la douzième et la dix-septième, tout sera bien[4]. Cela est heureux pour lui. Et c'est ce que je

---

1. Au sens médical hérité d'Hippocrate, les quatre humeurs (sang, lymphe, bile, atrabile) sont des liquides circulant dans l'organisme qui, selon leur prépondérance, déterminent les dispositions physiques et morales de l'individu. Moins nettement que pour l'emploi précédent (« personne n'a autant d'humeur, pas même une jolie femme... »), le sens moderne tend à l'emporter sur cette tradition médicale séculaire. Ici, le passage s'opère plutôt en direction de la « fibre » ou de la « molécule » évoquées plus loin, c'est-à-dire de dispositions héréditaires. **2.** À côté de l'acception positive traditionnelle du terme (sage uniquement soucieux de la vérité, et au-dessus des faiblesses ordinaires des hommes), il s'était élaboré un sens nouveau au XVIIIe siècle, que synthétise l'article PHILOSOPHE de Dumarsais (« Le philosophe est donc un honnête homme qui agit en tout par raison, et qui joint à un esprit de justesse et de réflexion les mœurs et les idées sociables »). Mais il en existe une troisième variante, dépréciative, dont LUI se fait ici l'écho : « Philosophe se prend aussi quelquefois dans un mauvais sens et signifie : dur, insensible, misanthrope [...] Se dit quelquefois ironiquement d'un homme bourru, crotté, incivil, qui n'a aucun égard aux devoirs et aux bienséances de la société civile » (*Trévoux*). Jean-Philippe Rameau, dont la dureté et l'incivilité tant privée que publique étaient notoires, ne vivait que pour son art et sa théorie. Ses difficultés avec le milieu philosophique, rebelle à ses conceptions, asssombrirent encore les dernières années de sa vie. **3.** « On dit d'une chose dont on ne se soucie pas, ou qu'on méprise, qu'on n'en donnerait pas un *clou à soufflet* » (*Féraud*). **4.** Allusion plaisante aux théories de Jean-Philippe Rameau sur la nature des sons. La douzième, ou octave de la quinte, et la dix-septième, ou double octave de la tierce, constituent avec le son fondamental, ou « basse fondamentale », ce qu'il appelle le « corps sonore ». Cette définition est à la base de ses complexes écrits théoriques dont il était si fier, par exemple la *Génération harmonique* de 1737. Voir la note 140.

prise particulièrement dans les gens de génie. Ils ne sont bons qu'à une chose. Passé cela ; rien. Ils ne savent ce que c'est d'être citoyens, pères, mères, frères, parents, amis. Entre nous, il faut leur ressembler de tout point ; mais ne pas désirer que la graine en soit commune. Il faut des hommes ; mais pour des hommes de génie ; point. Non, ma foi, il n'en faut point. Ce sont eux qui changent la face du globe ; et dans les plus petites choses, la sottise est si commune et si puissante qu'on ne la réforme pas sans charivari[1]. Il s'établit partie de ce qu'ils ont imaginé. Partie reste, comme il était ; de là deux évangiles ; un habit d'Arlequin. La sagesse du moine de Rabelais, est la vraie sagesse, pour son repos et pour celui des autres : faire son devoir, tellement quellement[2] ; toujours dire du bien de M. le prieur ; et laisser aller le monde à sa fantaisie. Il va bien, puisque la multitude en est contente. Si je savais l'histoire, je vous montrerais que le mal est toujours venu ici-bas, par quelque homme de génie. Mais je ne sais pas l'histoire, parce que je ne sais rien. Le diable m'emporte, si j'ai jamais rien appris ; et si pour n'avoir rien appris, je m'en trouve plus mal. J'étais un jour à la table d'un ministre du roi de France[3] qui a de l'esprit comme quatre ; hé bien, il nous démontra clair comme un et un font deux, que rien n'était plus utile aux peuples que le mensonge ; rien de plus nuisible que la vérité. Je ne me rappelle pas bien ses preuves ; mais il s'ensuivait évidemment que les gens de génie sont détestables, et que si un enfant apportait en nais-

---

1. Bruit, vacarme, querelle. **2.** Tant bien que mal. Si on ne trouve pas exactement la formule chez Rabelais, Diderot, grand admirateur de cet auteur, aimait la répéter. **3.** Il faut voir dans ce « ministre du roi de France » le duc de Choiseul, tête de file du parti dévot, aux affaires de 1758 à 1770, inspirateur de dures campagnes d'intimidation, de répression et de pamphlets contre les philosophes, à qui il a notamment reproché leur admiration pour le roi de Prusse pendant la guerre de Sept Ans. Son cynisme et son opportunisme étaient bien connus.

sant, sur son front, la caractéristique de ce dangereux présent de la nature, il faudrait ou l'étouffer, ou le jeter au cagniard[1].

MOI. — Cependant ces personnages-là, si ennemis du génie, prétendent tous en avoir.

LUI. — Je crois bien qu'ils le pensent au-dedans d'eux-mêmes ; mais je ne crois pas qu'ils osassent l'avouer.

MOI. — C'est par modestie. Vous conçûtes donc là, une terrible haine contre le génie.

LUI. — À n'en jamais revenir.

MOI. — Mais j'ai vu un temps que vous vous désespériez de n'être qu'un homme commun. Vous ne serez jamais heureux, si le pour et le contre vous afflige également. Il faudrait prendre son parti, et y demeurer attaché. Tout en convenant avec vous que les hommes de génie sont communément singuliers, ou comme dit le proverbe, qu'il n'y a point de grands esprits sans un grain de folie, on n'en reviendra pas. On méprisera les siècles qui n'en auront pas produit. Ils feront l'honneur des peuples chez lesquels ils auront existé ; tôt ou tard, on leur élève des statues, et on les regarde comme les bienfaiteurs du genre humain. N'en déplaise au ministre sublime[2] que vous m'avez cité, je crois que si le mensonge peut servir un moment, il est nécessairement nuisible à la longue ; et qu'au contraire, la vérité

---

1. Ce terme, mal compris dès le XVIIIe siècle, est déjà attesté dans *Furetière*. « On donnait, d'une manière générale, le nom de *cagnards* aux retraites immondes où se réfugiaient pendant la nuit les fainéants et les vagabonds, et plus spécialement aux arcades ménagées au-dessous des maisons qui bordaient la Seine » (A. Franklin, *Les Anciens Plans de Paris,* 1878-1880). **2.** Avant Kant (*Critique du jugement*, 1790), Burke témoigne de l'émergence de ce concept-clé de l'esthétique des Lumières. « La passion que produit ce qu'il y a de grand et de *sublime* dans la nature, lorsque ces causes agissent avec le plus de force, est l'*étonnement* », estime Burke (*Recherches philosophiques sur les idées que nous avons du beau et du sublime*, 1765). L'adjectif, ici, est ironique.

sert nécessairement à la longue, bien qu'il puisse arriver qu'elle nuise dans le moment[1]. D'où je serais tenté de conclure que l'homme de génie qui décrie une erreur générale, ou qui accrédite une grande vérité, est toujours un être digne de notre vénération. Il peut arriver que cet être soit la victime du préjugé et des lois ; mais il y a deux sortes de lois, les unes d'une équité, d'une généralité absolues ; d'autres bizarres qui ne doivent leur sanction qu'à l'aveuglement ou la nécessité des circonstances[2]. Celles-ci ne couvrent le coupable qui les enfreint que d'une ignominie passagère ; ignominie que le temps reverse sur les juges et sur les nations, pour y rester à jamais. De Socrate[3], ou du magistrat qui lui fit boire la ciguë, quel est aujourd'hui le déshonoré ?

LUI. — Le voilà bien avancé ! en a-t-il été moins condamné ? en a-t-il moins été mis à mort ? en a-t-il moins été un citoyen turbulent ? par le mépris d'une mauvaise loi, en a-t-il moins encouragé les fous au mépris des bonnes ? en a-t-il moins été un particulier audacieux et bizarre ? Vous n'étiez pas éloigné tout à l'heure d'un aveu peu favorable aux hommes de génie.

MOI. — Écoutez-moi, cher homme. Une société ne

---

1. Le mensonge est souvent, pour le bien du peuple, préférable à la vérité : voilà une affirmation contre laquelle Diderot s'est élevé avec autant de constance que de netteté. Il ne faut pas opposer à cette position de principe (où la religion est souvent en cause, mais qui concerne également le despotisme éclairé, auquel Diderot est opposé) le goût affirmé du Philosophe pour le *persiflage*, voire la *mystification*. Le leurre qui les constitue — prenant appui sur une connivence de groupe ou un « contrat » de lecture cultivant l'ambiguïté — est une voie d'accès à la vérité pour un esprit critique en alerte ; il vise, comme dans *Le Neveu de Rameau*, à une salutaire démystification, accroissement de lumières. **2.** L'écart, voire la contradiction, entre ces deux sortes de lois (la loi de nature opposée aux lois civile et religieuse du moment), position réitérée de Diderot à partir des années soixante, ont été admirablement discutés dans l'*Entretien d'un père avec ses enfants*, sous-titré *Du danger de se mettre au-dessus des lois*. **3.** Socrate, notamment par sa mort philosophique, a été pour Diderot un modèle constant, à la limite de l'identification. On sait que le Philosophe traduisit l'*Apologie de Socrate* pendant sa détention à Vincennes... avant d'accepter, pour être libéré, un compromis avec les autorités.

devrait point avoir de mauvaises lois ; et si elle n'en avait que de bonnes, elle ne serait jamais dans le cas de persécuter un homme de génie. Je ne vous ai pas dit que le génie fût indivisiblement attaché à la méchanceté, ni la méchanceté au génie. Un sot sera plus souvent un méchant qu'un homme d'esprit. Quand un homme de génie serait communément d'un commerce dur, difficile, épineux, insupportable, quand même ce serait un méchant, qu'en concluriez-vous ?

LUI. — Qu'il est bon à noyer.

MOI. — Doucement, cher homme. Çà, dites-moi ; je ne prendrai pas votre oncle pour exemple ; c'est un homme dur ; c'est un brutal ; il est sans humanité ; il est avare ; il est mauvais père, mauvais époux ; mauvais oncle ; mais il n'est pas assez décidé que ce soit un homme de génie ; qu'il ait poussé son art fort loin, et qu'il soit question de ses ouvrages dans dix ans[1]. Mais Racine[2] ? Celui-là certes avait du génie, et ne passait pas pour un trop bon homme. Mais de Voltaire[3] ?

LUI. — Ne me pressez pas ; car je suis conséquent.

MOI. — Lequel des deux préféreriez-vous ? ou qu'il eût été un bonhomme[4], identifié avec son comptoir,

---

1. Il est question depuis quelques pages du grand Rameau comme s'il était vivant. **2.** Racine, très admiré au XVIIIe siècle, notamment par Diderot, avait en effet une réputation de dureté et de méchanceté. Certains de ses chefs-d'œuvre, d'*Andromaque* (1667) à *Athalie* (1691), sont cités plus loin. **3.** Diderot appelle toujours, on ne sait trop pourquoi, Voltaire « de Voltaire ». Leurs relations furent épistolaires et espacées, jusqu'à une très probable rencontre ultime, en 1778. L'estime qu'ils se portaient réciproquement n'allait pas sans quelques réserves, ne serait-ce qu'à cause de leurs positions différentes sur les questions métaphysiques (le mal, l'existence de Dieu, la nécessité et la liberté). **4.** Simple, qui n'entend pas malice. Antoine Claude Briasson, honnête commerçant (à la différence de Le Breton, qui a trahi Diderot en censurant sans le lui dire certains articles de l'*Encyclopédie*), était l'un des « libraires » (éditeurs) associés pour la publication du grand dictionnaire. Barbier, marchand de Paris, est un autre exemple de négociant sans reproche mais qui ne voit pas plus loin que son aune.

comme Briasson, ou avec son aune, comme Barbier ; faisant régulièrement tous les ans un enfant légitime à sa femme, bon mari ; bon père, bon oncle, bon voisin, honnête commerçant, mais rien de plus ; ou qu'il eût été fourbe, traître, ambitieux, envieux, méchant ; mais auteur d'*Andromaque*, de *Britannicus*, d'*Iphigénie*, de *Phèdre*, d'*Athalie*.

LUI. — Pour lui, ma foi, peut-être que de ces deux hommes, il eût mieux valu qu'il eût été le premier.

MOI. — Cela est même infiniment plus vrai que vous ne le sentez.

LUI. — Oh ! vous voilà, vous autres ! Si, nous disons quelque chose de bien, c'est comme des fous, ou des inspirés ; par hasard. Il n'y a que vous autres qui vous entendiez[1]. Oui, monsieur le philosophe. Je m'entends ; et je m'entends ainsi que vous vous entendez.

MOI. — Voyons ; hé bien, pourquoi pour lui ?

LUI. — C'est que toutes ces belles choses-là qu'il a faites ne lui ont pas rendu vingt mille francs ; et que s'il eût été un bon marchand en soie de la rue Saint-Denis ou Saint-Honoré, un bon épicier en gros, un apothicaire bien achalandé, il eût amassé une fortune immense, et qu'en l'amassant, il n'y aurait eu sorte de plaisirs dont il n'eût joui ; qu'il aurait donné de temps en temps la pistole à un pauvre diable de bouffon comme moi qui l'aurait fait rire, qui lui aurait procuré dans l'occasion une jeune fille qui l'aurait désennuyé de l'éternelle cohabitation avec sa femme ; que nous aurions fait d'excellents repas chez lui, joué gros jeu ; bu d'excellents vins, d'excellentes liqueurs, d'excellents cafés, fait des parties de campagne ; et vous voyez que je m'entendais. Vous riez. Mais laissez-moi dire. Il eût été mieux pour ses entours[2].

---

1. Qui sachiez ou compreniez ce que vous dites. **2.** « On dit figurément *les entours de quelqu'un*, pour dire ceux qui vivent dans sa familiarité, dans sa société intime, et qui ont quelque crédit sur lui » (*Académie*).

MOI. — Sans contredit ; pourvu qu'il n'eût pas employé d'une façon déshonnête l'opulence qu'il aurait acquise par un commerce légitime ; qu'il eût éloigné de sa maison, tous ces joueurs ; tous ces parasites ; tous ces fades complaisants ; tous ces fainéants, tous ces pervers inutiles ; et qu'il eût fait assommer à coups de bâton, par ses garçons de boutique, l'homme officieux qui soulage, par la variété, les maris, du dégoût d'une cohabitation habituelle avec leurs femmes.

LUI. — Assommer ! monsieur, assommer ! on n'assomme personne dans une ville bien policée. C'est un état honnête. Beaucoup de gens, même titrés, s'en mêlent. Et à quoi diable, voulez-vous donc qu'on emploie son argent, si ce n'est à avoir bonne table, bonne compagnie, bons vins, belles femmes, plaisirs de toutes les couleurs, amusements de toutes les espèces. J'aimerais autant être gueux que de posséder une grande fortune, sans aucune de ces jouissances. Mais revenons à Racine. Cet homme n'a été bon que pour des inconnus, et que pour le temps où il n'était plus.

MOI. — D'accord. Mais pesez le mal et le bien. Dans mille ans d'ici, il fera verser des larmes ; il sera l'admiration des hommes, dans toutes les contrées de la terre. Il inspirera l'humanité, la commisération, la tendresse ; on demandera qui il était, de quel pays, et on l'enviera à la France. Il a fait souffrir quelques êtres qui ne sont plus ; auxquels nous ne prenons presque aucun intérêt ; nous n'avons rien à redouter ni de ses vices ni de ses défauts. Il eût été mieux sans doute qu'il eût reçu de la nature les vertus d'un homme de bien, avec les talents d'un grand homme. C'est un arbre qui a fait sécher quelques arbres plantés dans son voisinage ; qui a étouffé les plantes qui croissaient à ses pieds ; mais il a porté sa cime jusque dans la nue ; ses branches se sont étendues au loin ; il a prêté son ombre à ceux qui venaient, qui viennent et qui viendront se reposer autour de son tronc majestueux ; il a produit des fruits d'un goût exquis et qui se renouvellent sans cesse. Il serait à souhaiter que de Voltaire eût encore la douceur de Duclos, l'ingénuité de l'abbé Trublet, la droiture de l'abbé d'Olivet[1] ; mais puisque cela ne se peut ; regardons la chose du côté vraiment intéressant ; oublions pour un moment le point que nous occupons dans l'espace et dans la durée ; et étendons notre vue sur les siècles à venir, les régions les plus éloignées, et les peuples à naître. Songeons au bien de notre espèce. Si nous ne sommes pas assez généreux, pardonnons au moins à la nature d'avoir été plus sage que nous. Si vous jetez de l'eau froide sur la tête de Greuze[2], vous éteindrez peut-être son talent avec sa vanité. Si vous rendez de Voltaire moins sensible à la critique, il ne saura plus descendre dans l'âme de Mérope[3]. Il ne vous touchera plus.

LUI. — Mais si la nature était aussi puissante que sage, pourquoi ne les a-t-elle pas faits aussi bons qu'elle les a faits grands ?

---

1. Tous ces exemples sont à prendre par antiphrase, en manière de persiflage. Charles Pinot Duclos (1724-1772), romancier et moraliste, passait pour brutal et incommode ; il était un ami de Rousseau, qui appréciait sa franchise (voir la note 224). L'abbé Nicolas Joseph Charles Trublet (1697-1770), ancien secrétaire du cardinal de Tencin, défenseur des « modernes », « flagorneur et bas dans ses manières », est traité par Diderot de « vilain Trublet ». Pierre-Joseph Thoulier, abbé d'Olivet (1682-1768), académicien comme les précédents, grammairien et anti-philosophe, bien qu'en relations avec Voltaire, s'était attiré par sa froideur égoïste les sarcasmes de Piron, mais aussi la vindicte de Diderot qui le considérait comme un dangereux hypocrite. **2.** Jean-Baptiste Greuze (1725-1805). Ses peintures furent exposées aux Salons de 1755 à 1765. Ce remarquable portraitiste a aussi peint des tableaux de genre que Diderot a appréciés pour leur pathétique domestique, puis de forts tableaux historiques qui annoncent David. Les défauts de son caractère sont évoqués dans le *Salon de 1765* et dans la correspondance. **3.** Mérope, personnage principal de *Mérope*, tragédie de Voltaire (1743). N'oublions pas que Voltaire était unanimement considéré de son temps comme le plus grand poète tragique vivant, le successeur et presque l'égal de Racine.

MOI. — Mais ne voyez-vous pas qu'avec un pareil raisonnement vous renversez l'ordre général, et que si tout ici-bas était excellent, il n'y aurait rien d'excellent.

LUI. — Vous avez raison. Le point important est que vous et moi nous soyons, et que nous soyons vous et moi. Que tout aille d'ailleurs comme il pourra. Le meilleur ordre des choses, à mon avis, est celui où j'en devais être ; et foin du plus parfait des mondes, si je n'en suis pas. J'aime mieux être, et même être impertinent raisonneur que de n'être pas.

MOI. — Il n'y a personne qui ne pense comme vous, et qui ne fasse le procès à l'ordre qui est ; sans s'apercevoir qu'il renonce à sa propre existence.

LUI. — Il est vrai.

MOI. — Acceptons donc les choses comme elles sont. Voyons ce qu'elles nous coûtent et ce qu'elles nous rendent ; et laissons là le tout que nous ne connaissons pas assez pour le louer ou le blâmer ; et qui n'est peut-être ni bien ni mal ; s'il est nécessaire, comme beaucoup d'honnêtes gens l'imaginent[1].

LUI. — Je n'entends pas grand-chose à tout ce que vous me débitez là. C'est apparemment de la philosophie ; je vous préviens que je ne m'en mêle pas. Tout ce que je sais, c'est que je voudrais bien être un autre, au hasard d'être un homme de génie, un grand homme. Oui, il faut que j'en convienne, il y a là quelque chose qui me le dit. Je n'en ai jamais entendu louer un seul

---

1. La philosophie de la nécessité (déterministe), notamment exposée dans *Jacques le Fataliste et son maître*, qui nie, au nom de l'ordre général de la nature, la liberté humaine individuelle, qu'elle soit de tonalité chrétienne ou déiste, est la position constante de Diderot au moins depuis la lettre à Landois de 1756. LUI, spontanément, par une sorte de sagesse pragmatique, au nom d'un hédonisme cynique et amoral, est d'accord sur ce point avec MOI, mais sans partager ses analyses ni son point de vue de penseur matérialiste et d'athée philosophe préoccupé des devoirs sociaux et du « bien de notre espèce » : bel exemple de deux libertinages, proches par certains aspects, très différents par d'autres.

que son éloge ne m'ait fait secrètement enrager. Je suis envieux. Lorsque j'apprends de leur vie privée quelque trait qui les dégrade, je l'écoute avec plaisir. Cela nous rapproche. J'en supporte plus aisément ma médiocrité. Je me dis, certes tu n'aurais jamais fait *Mahomet*[1] ; mais ni l'éloge du Maupeou[2]. J'ai donc été, je suis donc fâché d'être médiocre. Oui, oui, je suis médiocre et fâché. Je n'ai jamais entendu jouer l'ouverture des *Indes galantes*[3] ; jamais entendu chanter, *Profonds abîmes du Ténare, Nuit, éternelle nuit*[4], sans me dire avec douleur : voilà ce que tu ne feras jamais. J'étais donc jaloux de mon oncle ; et s'il y avait eu à sa mort[5], quelques belles pièces de clavecin, dans son portefeuille, je n'aurais pas balancé à rester moi, et à être lui.

MOI. — S'il n'y a que cela qui vous chagrine, cela n'en vaut pas trop la peine.

LUI. — Ce n'est rien. Ce sont des moments qui passent.

(Puis il se remettait à chanter l'ouverture des *Indes galantes*, et l'air *Profonds abîmes* ; et il ajoutait :)

---

1. *Mahomet*, tragédie de Voltaire (1742), est une pièce militante contre l'intolérance. Attaqué par les parlementaires jansénistes, Voltaire avait dédié sa pièce au pape, qui avait accepté cet hommage ! **2.** La lutte entre le pouvoir royal et le Parlement de Paris, haut corps de magistrats fortement marqué par le jansénisme qui s'efforçait, au nom de la « nation », de limiter l'arbitraire royal (et de préserver ses propres prérogatives), n'a cessé de faire rage au cours du siècle. Les philosophes, dont Diderot, avec l'appui de l'opinion, ont soutenu cette résistance, notamment contre Maupeou, chancelier depuis 1768, qui en vint à supprimer les Parlements en 1770. Seul Voltaire, dans l'*Histoire du Parlement de Paris* (1769), prit fait et cause pour Maupeou. Les deux exemples ne sont donc pas sans quelque rapport. **3.** Célèbre opéra-ballet de Rameau (1735). **4.** Air de l'Envie tiré du premier acte du *Temple de la gloire*, opéra de Voltaire mis en musique par Rameau, à l'occasion de la victoire de Fontenoy (1745). **5.** Jean-Philippe Rameau est mort le 12 septembre 1764 : retour à l'imparfait du début. Dans la *Raméide*, piètre poème composé par ou pour Jean-François à sa propre gloire, le neveu ne cache pas sa jalousie envers l'oncle.

Le quelque chose qui est là et qui me parle, me dit : Rameau, tu voudrais bien avoir fait ces deux morceaux-là ; si tu avais fait ces deux morceaux-là, tu en ferais bien deux autres ; et quand tu en aurais fait un certain nombre, on te jouerait, on te chanterait partout ; quand tu marcherais, tu aurais la tête droite ; la conscience te rendrait témoignage à toi-même de ton propre mérite ; les autres te désigneraient du doigt. On dirait : c'est lui qui a fait les jolies gavottes [1] ; et il chantait les gavottes, puis avec l'air d'un homme touché, qui nage dans la joie, et qui en a les yeux humides, il ajoutait, en se frottant les mains, tu aurais une bonne maison, et il en mesurait l'étendue avec ses bras, un bon lit, et il s'y étendait nonchalamment, de bons vins, qu'il goûtait en faisant claquer sa langue contre son palais, un bon équipage, et il levait le pied pour y monter, de jolies femmes, à qui il prenait déjà la gorge et qu'il regardait voluptueusement ; cent faquins [2] me viendraient encenser tous les jours ; et il croyait les voir autour de lui [3] ; il voyait Palissot [4],

---

1. Selon l'*Encyclopédie*, la *gavotte* est une « sorte de danse dont l'air a deux reprises, chacune de quatre, de huit, ou de plusieurs fois quatre mesures à deux temps ; chaque reprise doit toujours commencer avec le second temps, et finir sur le premier. Le mouvement de la gavotte est ordinairement gracieux, souvent gai, quelquefois aussi tendre et lent. [...] M. Rameau parmi nous a beaucoup réussi dans les gavottes ». **2.** *Faquins* : ce terme dépréciatif renvoie au monde dévalué et bas des domestiques. Il est proche ici de *gueux,* substantif récurrent dans la satire. **3.** C'est la première allusion à la cabale des anti-philosophes et la première fois que s'esquissent dans la satire les pas de la « pantomime des gueux ». On y trouve pêle-mêle, sans souci d'exactitude chronologique, les ennemis les plus décidés du Philosophe, Palissot et Fréron (Stanislas Louis Marie, qui avait succédé à son père en 1776 à la tête de *L'Année littéraire*, était trop jeune pour fréquenter en 1761 les « feuillistes » cités) ; et d'autres qui ont participé de plus loin aux campagnes anti-philosophiques : Poinsinet le jeune, « original » notoire, ou l'abbé de La Porte, qui a fluctué d'un parti à l'autre. **4.** Charles Palissot de Montenoy (1730-1814), protégé de Choiseul (mais aussi admirateur de Voltaire...), se moque des philosophes dans deux comédies, *Le Cercle ou les Originaux*, en 1755, et *Les Philosophes*, grand succès en mai 1760. Diderot est sa cible préférée, surtout dans les *Petites Lettres sur de grands philosophes* (1757).

Poinsinet[1], les Fréron[2] père et fils, La Porte[3] ; il les entendait. Il se rengorgeait, les approuvait, leur souriait, les dédaignait, les méprisait, les chassait, les rappelait ; puis il continuait : Et c'est ainsi que l'on te dirait le matin que tu es un grand homme ; tu lirais dans l'histoire des *Trois Siècles*[4] que tu es un grand homme ; tu serais convaincu le soir que tu es un grand homme ; et le grand homme, Rameau le neveu, s'endormirait au doux murmure de l'éloge qui retentirait dans son oreille ; même en dormant, il aurait l'air satisfait ; sa poitrine se dilaterait, s'élèverait, s'abaisserait avec aisance ; il ronflerait, comme un grand homme ; et en parlant ainsi, il se laissait aller mollement sur une banquette ; il fermait les yeux, et il imitait le sommeil heureux qu'il imaginait. Après avoir goûté quelques instants la douceur de ce repos, il se réveillait, étendait ses bras, bâillait, se frottait les yeux, et cherchait encore autour de lui ses adulateurs insipides.

À partir de 1789, Palissot est devenu un révolutionnaire enthousiaste, adversaire de la religion. Il a terminé sa vie en notable d'Empire.

1. Antoine Henri Poinsinet, dit « le mystifié » (1734-1769), personnage grotesque et bohème, plus ridicule que méchant, cherchait à imiter en tout Palissot, qui se moquait de lui. Il a ainsi écrit un *Petit Philosophe* en juillet 1760 et, en 1764, *Le Cercle*. Il ne faut pas le confondre avec son parent Louis Poinsinet de Sivry, lui-même écrivain anti-philosophe, évoqué plus loin dans la satire. Voir la note 1, p. 74. **2.** Élie Catherine Fréron (1719-1776), protégé de la comtesse de La Marck, le plus redoutable et efficace ennemi des philosophes, dont on connaît les démêlés avec Voltaire, a constamment attaqué les encyclopédistes dans son journal *L'Année littéraire*. Ennemi acharné de Diderot, il l'a accusé de plagiat à propos du *Fils naturel* en 1757 et a joué un rôle décisif dans la suppression du privilège de l'*Encyclopédie* en 1759. Palissot, Fréron et Poinsinet ont été associés dans une comédie satirique de Cailleau intitulée *Les Originaux ou les Fourbes punis* (juillet 1760). **3.** L'abbé Joseph de La Porte (1718-1779), ancien collaborateur de Fréron, a fondé une feuille rivale, *L'Observateur littéraire* (1758-1761). **4.** *Les Trois Siècles de notre littérature, ou tableau de l'esprit de nos écrivains* (1772), sorte de panthéon littéraire plusieurs fois réédité de l'abbé Sabatier de Castres (1742-1817), était fort hostile aux philosophes, mitigé pour Palissot mais très favorable à Fréron.

MOI. — Vous croyez donc que l'homme heureux a son sommeil ?

LUI. — Si je le crois ! Moi, pauvre hère, lorsque le soir j'ai regagné mon grenier et que je me suis fourré dans mon grabat, je suis ratatiné sous ma couverture : j'ai la poitrine étroite et la respiration gênée ; c'est une espèce de plainte faible qu'on entend à peine ; au lieu qu'un financier fait retentir son appartement, et étonne[1] toute sa rue. Mais ce qui m'afflige aujourd'hui, ce n'est pas de ronfler et de dormir mesquinement, comme un misérable.

MOI. — Cela est pourtant triste.

LUI. — Ce qui m'est arrivé l'est bien davantage.

MOI. — Qu'est-ce donc ?

LUI. — Vous avez toujours pris quelque intérêt à moi, parce que je suis un bon diable que vous méprisez dans le fond, mais qui vous amuse.

MOI. — C'est la vérité.

LUI. — Et je vais vous le dire.

Avant que de commencer, il pousse un profond soupir et porte ses deux mains à son front. Ensuite, il reprend un air tranquille, et me dit :

Vous savez que je suis un ignorant, un sot, un fou, un impertinent, un paresseux, ce que nos Bourguignons appellent un fieffé truand[2], un escroc, un gourmand...

MOI. — Quel panégyrique !

LUI. — Il est vrai de tout point. Il n'y en a pas un mot à rabattre. Point de contestation là-dessus, s'il vous plaît. Personne ne me connaît mieux que moi ; et je ne dis pas tout.

MOI. — Je ne veux point vous fâcher ; et je conviendrai de tout.

LUI. — Hé bien, je vivais avec des gens qui

---

1. Le terme a encore le sens fort de « frapper comme un coup de tonnerre ». **2.** *Fieffé* ne s'employait plus que dans des expressions stéréotypées du type « fieffé menteur ». *Truand* : « vagabond, vaurien, mendiant, qui gueuse par fénéantise. Il est vieux et populaire » (*Académie*).

m'avaient pris en gré, précisément parce que j'étais doué, à un rare degré, de toutes ces qualités.

MOI. — Cela est singulier. Jusqu'à présent, j'avais cru ou qu'on se les cachait à soi-même, ou qu'on se les pardonnait, et qu'on les méprisait dans les autres.

LUI. — Se les cacher, est-ce qu'on le peut ? Soyez sûr que, quand Palissot est seul et qu'il revient sur lui-même, il se dit bien d'autres choses. Soyez sûr qu'en tête-à-tête avec son collègue, ils s'avouent franchement qu'ils ne sont que deux insignes maroufles[1]. Les mépriser dans les autres ! Mes gens étaient plus équitables, et leur caractère me réussissait merveilleusement auprès d'eux. J'étais comme un coq en pâte. On me fêtait. On ne me perdait pas un moment, sans me regretter. J'étais leur petit Rameau, leur joli Rameau, leur Rameau le fou, l'impertinent, l'ignorant, le paresseux, le gourmand, le bouffon, la grosse bête. Il n'y avait pas une de ces épithètes familières qui ne me valût un sourire, une caresse, un petit coup sur l'épaule, un soufflet, un coup de pied, à table un bon morceau qu'on me jetait sur mon assiette, hors de table une liberté que je prenais sans conséquence ; car moi, je suis sans conséquence. On fait de moi, avec moi, devant moi, tout ce qu'on veut, sans que je m'en formalise ; et les petits présents qui me pleuvaient ? Le grand chien que je suis ; j'ai tout perdu ! J'ai tout perdu pour avoir eu le sens commun, une fois, une seule fois en ma vie ; ah, si cela m'arrive jamais !

MOI. — De quoi s'agissait-il donc ?

LUI. — C'est une sottise incomparable, incompréhensible, irrémissible.

MOI. — Quelle sottise encore ?

LUI. — Rameau, Rameau, vous avait-on pris pour cela ! La sottise d'avoir eu un peu de goût, un peu d'esprit, un peu de raison. Rameau, mon ami, cela vous apprendra à rester ce que Dieu vous fit et ce que vos

---

1. *Maroufle* : « Terme injurieux qu'on donne aux gens gros de corps, et grossiers d'esprit » (*Trévoux*).

protecteurs vous voulaient. Aussi l'on vous a pris par les épaules ; on vous a conduit à la porte ; on vous a dit : faquin, tirez[1]. Ne reparaissez plus. Cela veut avoir du sens, de la raison, je crois ! Tirez. Nous avons de ces qualités-là, de reste. Vous vous en êtes allé en vous mordant les doigts ; c'est votre langue maudite qu'il fallait mordre auparavant. Pour ne vous en être pas avisé, vous voilà sur le pavé, sans le sol, et ne sachant où donner de la tête. Vous étiez nourri à bouche que veux-tu, et vous retournerez au regrat[2] ; bien logé, et vous serez trop heureux si l'on vous rend votre grenier ; bien couché, et la paille vous attend entre le cocher de M. de Soubise[3] et l'ami Robbé[4]. Au lieu d'un sommeil doux et tranquille, comme vous l'aviez, vous entendrez d'une oreille le hennissement et le piétinement des chevaux, de l'autre, le bruit mille fois plus insupportable des vers secs, durs et barbares. Malheureux, malavisé, possédé d'un million de diables !

MOI. — Mais n'y aurait-il pas moyen de se rapatrier[5] ? La faute que vous avez commise est-elle si impardonnable ? À votre place, j'irais retrouver mes gens. Vous leur êtes plus nécessaire que vous ne croyez.

LUI. — Ho, je suis sûr qu'à présent qu'ils ne m'ont pas, pour les faire rire, ils s'ennuient comme des chiens.

MOI. — J'irais donc les retrouver. Je ne leur laisse-

---

1. « On dit aussi se tirer ; et absolument, *tirer*, pour dire avancer, cheminer » (*Trévoux*). Signifie ici plus vigoureusement : « Dehors ! » Il s'emploie dans ce cas, dit l'*Académie*, pour les chiens. **2.** *Regrat* : « exercice de celui qui regratte, qui revend en détail ce qu'il a acheté en gros » (*Trévoux*). Ici, comme l'explique L.-S. Mercier, il s'agit des déchets et aliments de rebut que les regrattiers vendaient par petites sommes, mais fort cher, aux pauvres. **3.** L'hôtel de Bertin, rue Pastourelle, à deux pas de l'hôtel de Soubise (les actuelles Archives nationales, rue des Francs-Bourgeois), était doté de très vastes écuries où des vagabonds passaient la nuit à côté des palefreniers. **4.** Robbé de Beauveset (1725-1794), versificateur médiocre converti en 1762 au jansénisme, était l'auteur d'un poème sur la vérole. **5.** « Raccommoder une personne avec une autre » (*Ménage*), c'est-à-dire se réconcilier.

rais pas le temps de se passer de moi, de se tourner vers quelque amusement honnête : car qui sait ce qui peut arriver ?

LUI. — Ce n'est pas là ce que je crains. Cela n'arrivera pas.

MOI. — Quelque sublime que vous soyez, un autre peut vous remplacer.

LUI. — Difficilement.

MOI. — D'accord. Cependant j'irais avec ce visage défait, ces yeux égarés, ce col débraillé, ces cheveux ébouriffés, dans l'état vraiment tragique où vous voilà. Je me jetterais aux pieds de la divinité [1]. Je me collerais la face contre terre ; et sans me relever, je lui dirais d'une voix basse et sanglotante : pardon, madame ! pardon ! je suis un indigne, un infâme. Ce fut un malheureux instant ; car vous savez que je ne suis pas sujet à avoir du sens commun, et je vous promets de n'en avoir de ma vie.

Ce qu'il y a de plaisant, c'est que, tandis que je lui tenais ce discours, il en exécutait la pantomime [2]. Il s'était prosterné ; il avait collé son visage contre terre ; il paraissait tenir entre ses deux mains le bout d'une pantoufle ; il pleurait ; il sanglotait ; il disait : oui, ma petite reine ; oui, je le promets ; je n'en aurai de ma vie, de ma vie. Puis se relevant brusquement, il ajouta d'un ton sérieux et réfléchi :

LUI. — Oui, vous avez raison. Je crois que c'est le mieux. Elle est bonne. M. Vieillard dit qu'elle est si bonne [3]. Moi, je sais un peu qu'elle l'est. Mais cependant aller s'humilier devant une guenon ! Crier miséricorde aux pieds d'une misérable petite histrionne que

---

1. Le nom de Mlle Hus n'a pas encore été prononcé, mais LUI et MOI savent de qui il s'agit. Voir la note 5, p. 41. **2.** Première apparition de la pantomime (le mot comme la chose), qui joue dans la satire un rôle si neuf et si important. **3.** L'abbé de La Porte a conté à Diderot (qui le relate le 12 septembre 1761 à Sophie) la rupture haute en couleur entre Bertin et Mlle Hus. Le premier avait surpris la liaison de sa maîtresse avec M. Vieillard, fils du directeur des Eaux de Passy et voisin de sa maison de campagne.

les sifflets du parterre ne cessent de poursuivre ! Moi, Rameau ! fils de M. Rameau, apothicaire de Dijon[1], qui est un homme de bien et qui n'a jamais fléchi le genou devant qui que ce soit ! Moi, Rameau, le neveu de celui qu'on appelle le grand Rameau ; qu'on voit se promener droit et les bras en l'air, au Palais-Royal, depuis que M. Carmontelle[2] l'a dessiné courbé, et les mains sous les basques de son habit ! moi qui ai composé des pièces de clavecin que personne ne joue, mais qui seront peut-être les seules qui passeront à la postérité qui les jouera[3] ; moi ! moi enfin ! J'irais !... tenez, monsieur, cela ne se peut. Et mettant sa main droite sur sa poitrine, il ajoutait : Je me sens là quelque chose qui s'élève et qui me dit : Rameau, tu n'en feras rien. Il faut qu'il y ait une certaine dignité attachée à la nature de l'homme, que rien ne peut étouffer. Cela se réveille à propos de bottes[4]. Oui, à propos de bottes ; car il y a d'autres jours où il ne m'en coûterait rien pour être vil tant qu'on voudrait ; ces jours-là, pour un liard, je baiserais le cul à la petite Hus[5].

MOI. — Hé, mais, l'ami ; elle est blanche, jolie, jeune, douce, potelée ; et c'est un acte d'humilité

---

1. Il ne semble pas que le père de Jean-François Rameau ait été apothicaire. **2.** Louis Carrogis, dit Carmontelle (1717-1806), ordonnateur des fêtes du duc d'Orléans, auteur de portraits et de proverbes dramatiques. L'estampe citée par le Neveu montre en effet Jean-Philippe Rameau « les mains sous les basques de son habit », silhouette sèche et maigre croquée par ailleurs par Louis Sébastien Mercier. **3.** Les pièces « imitatives » de Rameau le neveu (*Le Général d'armée*, *Le Voltaire*, *Le Menuet encyclopédique*) ne sont connues que par la description de Fréron dans un article de *L'Année littéraire* du 27 octobre 1757. **4.** « On dit proverbialement, à propos de *bottes*, quand on prend occasion de parler en entendant quelque chose de semblable. On le dit aussi quelquefois de toute sorte d'interruption » (*Trévoux*). L'expression signifierait donc : à propos de tout et de rien. **5.** Adélaïde Louise Pauline Hus (1734-1805), comédienne, refusée puis reçue à la Comédie-Française. Cette personne d'une blondeur bien en chair n'avait pas le talent de Mlle Clairon, contre laquelle elle imposa *Les Philosophes* de Palissot. Dans les années soixante, elle défraya la chronique par sa liaison avec Bertin.

auquel un plus délicat que vous pourrait quelquefois s'abaisser.

LUI. — Entendons-nous ; c'est qu'il y a baiser le cul au simple, et baiser le cul au figuré. Demandez au gros Bergier[1] qui baise le cul de Mme de La Marck[2] au simple et au figuré ; et ma foi, le simple et le figuré me déplairaient également là.

MOI. — Si l'expédient que je vous suggère ne vous convient pas, ayez donc le courage d'être gueux[3].

LUI. — Il est dur d'être gueux, tandis qu'il y a tant de sots opulents aux dépens desquels on peut vivre. Et puis le mépris de soi ; il est insupportable.

MOI. — Est-ce que vous connaissez ce sentiment-là ?

LUI. — Si je le connais ; combien de fois, je me suis dit : comment, Rameau, il y a dix mille bonnes tables à Paris, à quinze ou vingt couverts chacune ; et de ces couverts-là, il n'y en a pas un pour toi ! Il y a des bourses pleines d'or qui se versent de droite et de gauche, et il n'en tombe pas une pièce sur toi ! Mille petits beaux esprits, sans talent, sans mérite ; mille petites créatures, sans charmes ; mille plats intrigants, sont bien vêtus, et tu irais tout nu ? Et tu serais imbécile à ce point ? Est-ce que tu ne saurais pas flatter comme un autre ? Est-ce que tu ne saurais pas mentir, jurer, parjurer, promettre, tenir ou manquer comme un autre ? Est-ce que tu ne saurais pas te mettre à quatre pattes, comme un autre ? Est-ce que tu ne saurais pas

---

1. François Joseph Bergier (1732-1784), que Diderot appelait « le gros Bergier », ne doit pas être confondu, remarque Jacques Chouillet, avec son frère Nicolas Sylvestre (1718-1790), théologien. Le second a publié en 1771 un *Examen du matérialisme* contre d'Holbach. Duquel s'agit-il ? **2.** Marie Anne Françoise de Noailles, comtesse de La Marck, protégeait Palissot qui lui dédia ses *Petites Lettres sur de grands philosophes*. Cette femme sans beauté est connue comme l'une des inspiratrices du parti dévot. **3.** Ce terme revient régulièrement dans la satire, et en position privilégiée. « Ceux qui n'ont pas assez de bien, de fortune pour soutenir leur naissance et leur qualité », selon *Furetière*. L'acception morale est aussi importante que les aspects physiques et sociaux.

favoriser l'intrigue de madame, et porter le billet doux de monsieur, comme un autre ? Est-ce que tu ne saurais pas encourager ce jeune homme à parler à mademoiselle, et persuader à mademoiselle de l'écouter, comme un autre ? Est-ce que tu ne saurais pas faire entendre à la fille d'un de nos bourgeois, qu'elle est mal mise ; que de belles boucles d'oreilles, un peu de rouge, des dentelles, une robe à la polonaise[1], lui siéraient à ravir ? que ces petits pieds-là ne sont pas faits pour marcher dans la rue ? qu'il y a un beau monsieur, jeune et riche, qui a un habit galonné d'or, un superbe équipage, six grands laquais, qui l'a vue en passant, qui la trouve charmante ; et que depuis ce jour-là il en a perdu le boire et le manger ; qu'il n'en dort plus, et qu'il en mourra ?... Mais mon papa. — Bon, bon ; votre papa ! il s'en fâchera d'abord un peu. — Et maman qui me recommande tant d'être honnête fille ? qui me dit qu'il n'y a rien dans ce monde que l'honneur ? — Vieux propos qui ne signifient rien. — Et mon confesseur ? — Vous ne le verrez plus ; ou si vous persistez dans la fantaisie d'aller lui faire l'histoire de vos amusements ; il vous en coûtera quelques livres de sucre et de café. — C'est un homme sévère qui m'a déjà refusé l'absolution, pour la chanson, *Viens dans ma cellule*[2]. — C'est que vous n'aviez rien à lui donner... mais quand vous lui apparaîtrez en dentelles... — J'aurai donc des dentelles ? — Sans doute et de toutes les sortes... en belles boucles de diamants... — J'aurai donc de belles boucles de diamants ? — Oui. — Comme celles de cette marquise qui vient quelquefois prendre des gants, dans notre boutique ? — Précisément... dans un bel équipage, avec des chevaux gris

1. Selon J. Fabre, « robe bordée de fourrure, mise à la mode par la maîtresse du maréchal de Saxe, bâtard du roi de Pologne Auguste II, pour faire honneur à ce prince ainsi qu'à la reine Marie Leszczynska, épouse de Louis XV ». **2.** « Viens dans ma cellule, / Suis-moi, belle Ursule ; / Par la volupté / Mitigeons notre austérité. / Rompons sans éclat / Le célibat. / Aucun Prélat / N'en fait état... », chanson (légère et anticléricale) sur l'air de *La Jardinière*.

pommelés ; deux grands laquais, un petit nègre, et le coureur en avant, des rouges, des mouches[1], la queue portée[2]. — Au bal ? — Au bal... à l'Opéra, à la Comédie... Déjà le cœur lui tressaillit[3] de joie. Tu joues avec un papier entre tes doigts... Qu'est cela ? — Ce n'est rien. — Il me semble que si. — C'est un billet. — Et pour qui ? — Pour vous, si vous étiez un peu curieuse. — Curieuse, je le suis beaucoup. Voyons... Elle lit. Une entrevue, cela ne se peut. — En allant à la messe. — Maman m'accompagne toujours ; mais s'il venait ici, un peu matin ; je me lève la première ; et je suis au comptoir, avant qu'on soit levé... Il vient : il plaît ; un beau jour, à la brune, la petite disparaît, et l'on me compte mes deux mille écus... Et quoi tu possèdes ce talent-là ; et tu manques de pain ! n'as-tu pas de honte, malheureux ? Je me rappelais un tas de coquins, qui ne m'allaient pas à la cheville et qui regorgeaient de richesses. J'étais en surtout de baracan[4], et ils étaient couverts de velours ; ils s'appuyaient sur la canne à pomme d'or et en bec de corbin[5] ; et ils avaient l'aristote ou le platon au doigt[6]. Qu'étaient-ce pourtant ? La plupart de misérables croquenotes[7] ; aujourd'hui ce sont des espèces de seigneurs. Alors je me sentais du courage ; l'âme élevée ; l'esprit subtil, et capable de tout. Mais ces heureuses dispositions apparemment ne duraient pas ; car jusqu'à présent, je n'ai pu faire un

---

1. *Mouche* : « Petit morceau de taffetas ou de velours noir, que les dames mettaient sur leur visage pour ornement, ou pour faire paraître leur teint plus blanc » (*Furetière*). **2.** *Queue* : extrémité d'un manteau, d'une robe traînante. **3.** Les grammairiens du temps ne connaissent que « tressaille », bien que la forme au présent « tressaillit » soit attestée chez Montesquieu, Buffon et Rousseau. **4.** Manteau d'étoffe grossière. « Baracan, ou bouracan, s. m. (*étoffe non croisée*). C'est une espèce de camelot d'un grain fort gros ; elle se travaille sur le métier à deux marches comme la toile » (*Encyclopédie*). **5.** La pomme de ces cannes à la mode est « d'or et en bec de corbin » (forme ancienne pour « corbeau »). **6.** Soit, selon Monval, des pierres gravées montées en bagues à l'effigie de ces philosophes, soit, plus probablement, selon J. Fabre, des diamants classés sous ces appellations suivant le nombre des carats. **7.** Musicien de peu de talent, capable cependant de lire couramment la musique.

certain chemin. Quoi qu'il en soit, voilà le texte de mes fréquents soliloques que vous pouvez paraphraser à votre fantaisie ; pourvu que vous en concluiez que je connais le mépris de soi-même, ou ce tourment de la conscience qui naît de l'inutilité des dons que le ciel nous a départis ; c'est le plus cruel de tous. Il vaudrait presque autant que l'homme ne fût pas né.

Je l'écoutais ; et à mesure qu'il faisait la scène du proxénète et de la jeune fille qu'il séduisait ; l'âme agitée de deux mouvements opposés, je ne savais si je m'abandonnerais à l'envie de rire, ou au transport de l'indignation. Je souffrais. Vingt fois un éclat de rire empêcha ma colère d'éclater ; vingt fois la colère qui s'élevait au fond de mon cœur se termina par un éclat de rire. J'étais confondu de tant de sagacité, et de tant de bassesse ; d'idées si justes et alternativement si fausses ; d'une perversité si générale de sentiments, d'une turpitude si complète, et d'une franchise si peu commune. Il s'aperçut du conflit qui se passait en moi : Qu'avez-vous ? me dit-il.

MOI. — Rien.

LUI. — Vous me paraissez troublé.

MOI. — Je le suis aussi.

LUI. — Mais enfin que me conseillez-vous ?

MOI. — De changer de propos. Ah, malheureux, dans quel état d'abjection, vous êtes né ou tombé.

LUI. — J'en conviens. Mais cependant que mon état ne vous touche pas trop. Mon projet, en m'ouvrant à vous, n'était point de vous affliger. Je me suis fait chez ces gens, quelque épargne. Songez que je n'avais besoin de rien, mais de rien absolument ; et que l'on m'accordait tant pour mes menus plaisirs.

Alors il recommença à se frapper le front, avec un de ses poings, à se mordre la lèvre, et rouler au plafond ses yeux égarés ; ajoutant : mais c'est une affaire faite. J'ai mis quelque chose de côté. Le temps s'est écoulé ; et c'est toujours autant d'amassé.

MOI. — Vous voulez dire de perdu.

LUI. — Non, non, d'amassé. On s'enrichit à chaque instant. Un jour de moins à vivre, ou un écu de plus ; c'est tout un. Le point important est d'aller aisément, librement, agréablement, copieusement, tous les soirs à la garde-robe[1]. *Ô stercus pretiosum*[2] *!* Voilà le grand résultat de la vie dans tous les états. Au dernier moment, tous sont également riches ; et Samuel Bernard[3] qui à force de vols, de pillages, de banqueroutes laisse vingt-sept millions en or, et Rameau qui ne laissera rien ; Rameau à qui la charité fournira la serpillière dont on l'enveloppera. Le mort n'entend pas sonner les cloches. C'est en vain que cent prêtres s'égosillent pour lui : qu'il est précédé et suivi d'une longue file de torches ardentes ; son âme ne marche pas à côté du maître des cérémonies. Pourrir sous du marbre, pourrir sous de la terre, c'est toujours pourrir. Avoir autour de son cercueil les enfants rouges, et les enfants bleus[4], ou n'avoir personne, qu'est-ce que cela fait. Et puis vous voyez bien ce poignet ; il était raide comme un diable. Ces dix doigts, c'étaient autant de bâtons fichés dans un métacarpe de bois ; et ces tendons, c'étaient de vieilles cordes à boyau plus sèches, plus roides, plus inflexibles que celles qui ont servi à la roue d'un tourneur. Mais je vous les ai tant tourmentées, tant brisées, tant rompues. Tu ne veux pas aller ; et moi, mordieu, je dis que tu iras ; et cela sera.

Et tout en disant cela, de la main droite, il s'était saisi les doigts et le poignet de la main gauche ; et il

---

1. « Lieu où l'on mettait la chaise percée, alors que les latrines n'étaient pas communes dans les maisons » (*Littré*). **2.** « Ô précieux fumier ! », adage des agronomes de l'Antiquité. **3.** Samuel Bernard (1651-1739), célèbre banquier d'origine protestante qui prêta de l'argent à Louis XIV et, selon Saint-Simon, fit une « prodigieuse banqueroute » à laquelle « on a prétendu depuis qu'il avait trouvé moyen de gagner beaucoup ». **4.** Orphelins élevés dans deux hospices parisiens, celui de la rue Porte-Fouin pour les « enfants rouges », celui de la Trinité pour les « enfants bleus », ils figuraient en tenue aux enterrements luxueux.

les renversait en dessus, en dessous ; l'extrémité des doigts touchait au bras ; les jointures en craquaient ; je craignais que les os n'en demeurassent disloqués.

MOI. — Prenez garde, lui dis-je ; vous allez vous estropier.

LUI. — Ne craignez rien. Ils y sont faits ; depuis dix ans, je leur en ai bien donné d'une autre façon. Malgré qu'ils en eussent, il a bien fallu que les bougres s'y accoutumassent, et qu'ils apprissent à se placer sur les touches et à voltiger sur les cordes. Aussi à présent cela va. Oui, cela va.

En même temps, il se met dans l'attitude d'un joueur de violon ; il fredonne de la voix un allegro de Locatelli [1] ; son bras droit imite le mouvement de l'archet ; sa main gauche et ses doigts semblent se promener sur la longueur du manche ; s'il fait un ton faux, il s'arrête ; il remonte ou baisse la corde ; il la pince de l'ongle, pour s'assurer qu'elle est juste ; il reprend le morceau où il l'a laissé ; il bat la mesure du pied ; il se démène de la tête, des pieds, des mains, des bras, du corps. Comme vous avez vu quelquefois au concert spirituel [2], Ferrari ou Chiabran, ou quelque autre virtuose, dans les mêmes convulsions, m'offrant l'image du même supplice, et me causant à peu près la même peine ; car n'est-ce pas une chose pénible à voir que le tourment, dans celui qui s'occupe à me peindre le plaisir ; tirez entre cet homme et moi, un rideau qui me le cache, s'il faut qu'il me montre un patient appliqué à la question [3].

---

1. Pietro Locatelli (1693-1764), de Bergame, compositeur de pièces fort difficiles pour le violon, chef d'orchestre et virtuose, qui fit sa carrière à Amsterdam. **2.** Le Concert spirituel fut établi en 1725 au château des Tuileries. Le monopole de l'Opéra restreignait l'entreprise au domaine de la musique religieuse, et contre forte redevance. S'y produisirent les violonistes virtuoses comme Domenico (1722-1780) et Ludovico Ferrari, en 1754 et 1758, Carlo Francesco Chiabrano en 1751. **3.** La question, torture « légale » infligée aux accusés et aux condamnés pour leur extorquer des aveux, a été violemment critiquée par les philosophes. Ici, le Neveu « torturé » fait partie des interprètes « qui jouent d'âme » et exposent leurs émotions sur la scène.

Au milieu de ses agitations et de ses cris, s'il se présentait une tenue[1], un de ces endroits harmonieux où l'archet se meut lentement sur plusieurs cordes à la fois, son visage prenait l'air de l'extase ; sa voix s'adoucissait. Il s'écoutait avec ravissement. Il est sûr que les accords résonnaient dans ses oreilles et dans les miennes. Puis remettant son instrument, sous son bras gauche, de la même main dont il le tenait, et laissant tomber sa main droite, avec son archet : hé bien, me disait-il, qu'en pensez-vous ?

MOI. — À merveille.

LUI. — Cela va, ce me semble ; cela résonne à peu près, comme les autres.

Et aussitôt, il s'accroupit, comme un musicien qui se met au clavecin. Je vous demande grâce, pour vous et pour moi, lui dis-je.

LUI. — Non, non ; puisque je vous tiens, vous m'entendrez. Je ne veux point d'un suffrage qu'on m'accorde sans savoir pourquoi. Vous me louerez d'un ton plus assuré, et cela me vaudra quelque écolier.

MOI. — Je suis si peu répandu ; et vous allez vous fatiguer en pure perte.

LUI. — Je ne me fatigue jamais.

Comme je vis que je voudrais inutilement avoir pitié de mon homme, car la sonate sur le violon l'avait mis tout en eau, je pris le parti de le laisser faire. Le voilà donc assis au clavecin ; les jambes fléchies, la tête élevée vers le plafond où l'on eût dit qu'il voyait une partition notée, chantant, préludant, exécutant une pièce d'Alberti, ou de Galuppi[2], je ne sais lequel des deux. Sa voix allait comme le vent, et ses doigts voltigeaient sur les touches ; tantôt laissant le dessus, pour

---

1. Voir la note 3, p. 105. **2.** Giuseppe-Mateo (1685-1751) ou Domenico Alberti (1710-1740), compositeur claveciniste, est cité dans les *Leçons de clavecin* de 1771. Voir la note 2, p. 52. Baldassare Galuppi (1706-1789), qui séjourna à Vienne, à Londres et en Russie, auteur de pièces pour clavecin et d'opéras, est l'un des créateurs de l'opéra-bouffe.

prendre la basse ; tantôt quittant la partie d'accompagnement, pour revenir au dessus. Les passions se succédaient sur son visage. On y distinguait la tendresse, la colère, le plaisir, la douleur. On sentait les *piano*, les *forte*. Et je suis sûr qu'un plus habile [1] que moi, aurait reconnu le morceau, au mouvement, au caractère, à ses mines et à quelques traits de chant qui lui échappaient par intervalle [2]. Mais ce qu'il y avait de bizarre ; c'est que de temps en temps, il tâtonnait ; se reprenait, comme s'il eût manqué et se dépitait de n'avoir plus la pièce dans les doigts. Enfin, vous voyez, dit-il, en se redressant et en essuyant les gouttes de sueur qui descendaient le long de ses joues, que nous savons aussi placer un triton, une quinte superflue, et que l'enchaînement des dominantes [3] nous est familier. Ces passages enharmoniques [4] dont le cher oncle a fait tant de train [5], ce n'est pas la mer à boire, nous nous en tirons.

---

1. *Habile* désigne aussi bien celui qui sait (savant) que celui qui sait faire (adroit, agile, efficace), au sens moderne. Le terme, dans ce développement, revient trois fois de suite avec des nuances. **2.** Malgré les termes de *piano*, de *forte* (peu propres à un clavecin), de *chant*, d'*accompagnement* et de *dessus*, il semble bien, comme le fait remarquer H. Coulet, que le Neveu interprète ici non un morceau symphonique mais une pièce de clavecin, ou plusieurs, mêlées éventuellement d'improvisations. **3.** « *Triton*. Intervalle dissonant composé de trois tons, deux majeurs et un mineur, et qu'on peut appeler *quarte superflue* » (Jean-Jacques Rousseau, *Dictionnaire de musique*). Les dissonances doivent être autant que possible « placées » ou « sauvées » (voir la note 5, p. 128). *Quinte superflue*. « La *quinte* peut s'altérer de deux manières, savoir, en diminuant son intervalle d'un demi-ton, et alors elle s'appelle *fausse-quinte*, et devrait s'appeler *quinte* diminuée ; ou en augmentant d'un demi-ton le même intervalle, et alors elle s'appelle *quinte superflue* » (*id.*) . « *Dominante*. C'est des trois notes essentielles du ton celle qui est une quinte au-dessus de la tonique. La tonique et la *dominante* déterminent le ton » (*id.*). **4.** Les passages enharmoniques sont les glissements d'une tonalité à une autre obtenus en jouant de la quasi-identité (identité pafaite dans le système « tempéré ») entre une note diésée et la note d'un ton en dessus bémolisée. Le genre enharmonique s'oppose au genre diatonique (voir le *Dictionnaire de musique* de Rousseau). **5.** « Dans le style familier [...] on dit *faire du train* pour dire : faire du bruit, tapage, comme en font, d'ordinaire, les gens mal élevés » (*Académie*).

Moi. — Vous vous êtes donné bien de la peine, pour me montrer que vous étiez fort habile ; j'étais homme à vous croire sur votre parole.

Lui. — Fort habile ! ho non ; pour mon métier, je le sais à peu près, et c'est plus qu'il ne faut. Car dans ce pays-ci est-ce qu'on est obligé de savoir ce qu'on montre [1] ?

Moi. — Pas plus que de savoir ce qu'on apprend.

Lui. — Cela est juste, morbleu, et très juste. Là, monsieur le philosophe, la main sur la conscience, parlez net. Il y eut un temps où vous n'étiez pas cossu comme aujourd'hui.

Moi. — Je ne le suis pas encore trop.

Lui. — Mais vous n'iriez plus au Luxembourg, en été, vous vous en souvenez...

Moi. — Laissons cela ; oui, je m'en souviens.

Lui. — En redingote de peluche grise.

Moi. — Oui, oui.

Lui. — Éreintée par un des côtés ; avec la manchette déchirée, et les bas de laine noirs et recousus par-derrière avec du fil blanc.

Moi. — Et oui, oui, tout comme il vous plaira.

Lui. — Que faisiez-vous alors dans l'allée des Soupirs [2] ?

Moi. — Une assez triste figure.

Lui. — Au sortir de là, vous trottiez sur le pavé.

Moi. — D'accord.

Lui. — Vous donniez des leçons de mathématiques.

Moi. — Sans en savoir un mot : n'est-ce pas là que vous en vouliez venir ?

Lui. — Justement.

Moi. — J'apprenais en montrant aux autres, et j'ai fait quelques bons écoliers.

Lui. — Cela se peut, mais il n'en est pas de la

---

1. Le passage rappelle les années de « bohème » parisienne de Diderot (1732-1742), où il vivait d'expédients en se livrant à sa boulimie de savoir et à sa passion du théâtre. **2.** Allée du Luxembourg, à l'ouest du jardin.

musique comme de l'algèbre ou de la géométrie[1]. Aujourd'hui que vous êtes un gros monsieur...

MOI. — Pas si gros.

LUI. — Que vous avez du foin dans vos bottes[2]...

MOI. — Très peu.

LUI. — Vous donnez des maîtres à votre fille.

MOI. — Pas encore. C'est sa mère qui se mêle de son éducation ; car il faut avoir la paix chez soi[3].

LUI. — La paix chez soi ? morbleu, on ne l'a que quand on est le serviteur ou le maître ; et c'est le maître qu'il faut être. J'ai eu une femme[4]. Dieu veuille avoir son âme. Mais quand il lui arrivait quelquefois de se rebéquer[5], je m'élevais sur mes ergots ; je déployais mon tonnerre ; je disais, comme Dieu : que la lumière se fasse et la lumière était faite. Aussi en quatre années de temps, nous n'avons pas eu dix fois un mot, l'un plus haut que l'autre. Quel âge a votre enfant ?

MOI. — Cela ne fait rien à l'affaire.

LUI. — Quel âge a votre enfant ?

MOI. — Et que diable, laissons là mon enfant et son âge, et revenons aux maîtres qu'elle aura.

LUI. — Pardieu, je ne sache rien de si têtu qu'un philosophe. En vous suppliant très humblement, ne pourrait-on savoir de monseigneur le philosophe, quel âge à peu près peut avoir mademoiselle sa fille.

---

1. Diderot publia en 1748 ses *Mémoires sur différents sujets de mathématiques*, dont une partie traite du son et de la musique. Cet ouvrage, qui témoigne des connaissances et des aptitudes que Diderot avait acquises dans ces matières, a été fort bien reçu. Certains contemporains ont affirmé en outre qu'il avait au cours des mêmes années collaboré aux ouvrages théoriques de Jean-Philippe Rameau. **2.** Allusion soit à la pension accordée par Catherine II à partir de 1765, soit plus généralement à l'amélioration progressive, bien que limitée, de sa situation financière (héritage, appointements, contrats divers). **3.** Si Anne Toinette Diderot, au caractère réputé difficile, s'est occupée de l'éducation de sa fille, le père n'est pas resté à l'écart, comme la suite le fait assez comprendre. **4.** Ursule Nicole Fruchet, née en 1733, devint la femme de Jean-François Rameau le 3 février 1757 et mourut en 1761. Voir la note 3, p. 21. **5.** « Se révolter, ou perdre le respect contre l'autorité d'un supérieur domestique » (*Trévoux*).

MOI. — Supposez-lui huit ans [1].

LUI. — Huit ans ! il y a quatre ans que cela devrait avoir les doigts sur les touches.

MOI. — Mais peut-être ne me soucié-je pas trop de faire entrer dans le plan de son éducation, une étude qui occupe si longtemps et qui sert si peu.

LUI. — Et que lui apprendrez-vous donc, s'il vous plaît ?

MOI. — À raisonner juste, si je puis ; chose si peu commune parmi les hommes, et plus rare encore parmi les femmes.

LUI. — Et laissez-la déraisonner, tant qu'elle voudra. Pourvu qu'elle soit jolie, amusante et coquette.

MOI. — Puisque la nature a été assez ingrate envers elle pour lui donner une organisation délicate, avec une âme sensible, et l'exposer aux mêmes peines de la vie que si elle avait une organisation forte, et un cœur de bronze, je lui apprendrai, si je puis, à les supporter avec courage.

LUI. — Et laissez-la pleurer, souffrir, minauder, avoir des nerfs agacés, comme les autres ; pourvu qu'elle soit jolie, amusante et coquette. Quoi, point de danse ?

MOI. — Pas plus qu'il n'en faut pour faire une révérence, avoir un maintien décent, se bien présenter, et savoir marcher.

LUI. — Point de chant ?

MOI. — Pas plus qu'il n'en faut, pour bien prononcer.

LUI. — Point de musique ?

MOI. — S'il y avait un bon maître d'harmonie, je la lui confierais volontiers, deux heures par jour, pendant un ou deux ans ; pas davantage [2].

---

1. Angélique Diderot est née le 2 septembre 1753. Elle a donc huit ans en 1761-1762. C'est l'année où son père lui fait donner ses premières leçons de clavecin. **2.** Angélique était devenue, plusieurs témoignages l'attestent, une excellente claveciniste, de niveau professionnel. Diderot, passionné de musique, lui fit donner en 1769 des leçons d'harmonie par l'Alsacien Bemetzrieder. Il publia en 1771 les *Leçons de clavecin et principes d'harmonie par M. Bemetzrieder*, dont

LUI. — Et à la place des choses essentielles que vous supprimez...

MOI. — Je mets de la grammaire, de la fable, de l'histoire, de la géographie, un peu de dessin, et beaucoup de morale.

LUI. — Combien il me serait facile de vous prouver l'inutilité de toutes ces connaissances-là, dans un monde tel que le nôtre ; que dis-je l'inutilité, peut-être le danger. Mais je m'en tiendrai pour ce moment à une question : ne lui faudra-t-il pas un ou deux maîtres ?

MOI. — Sans doute [1].

LUI. — Ah, nous y revoilà. Et ces maîtres, vous espérez qu'ils sauront la grammaire, la fable, l'histoire, la géographie, la morale dont ils lui donneront des leçons ? Chansons, mon cher maître : chansons [2]. S'ils possédaient ces choses assez pour les montrer, ils ne les montreraient pas.

MOI. — Et pourquoi ?

LUI. — C'est qu'ils auraient passé leur vie à les étudier. Il faut être profond dans l'art ou dans la science, pour en bien posséder les éléments. Les ouvrages classiques [3] ne peuvent être bien faits, que par ceux qui ont blanchi sous le harnais. C'est le milieu et la fin qui éclaircissent les ténèbres du commencement. Demandez à votre ami, M. D'Alembert [4], le coryphée de la science mathématique, s'il serait trop bon pour en faire des éléments. Ce n'est qu'après trente à quarante ans

---

il avait composé la préface et, de toute évidence, revu largement la présentation, le style, et même certaines idées. Il y tente, comme le note J.-C. Bonnet, de concilier la mélodie (expression du génie inspiré) et la logique de l'harmonie.

1. Assurément. **2.** « *Chansons* [...] Figuré et familièrement, conte en l'air, discours ou raison dont on ne tient aucun compte » (*Littré*). **3.** *Ouvrages classiques* signifie ici autant « faits pour les classes, l'enseignement » que : « composés par des auteurs anciens et qui font autorité » (*Féraud*). **4.** Jean Le Rond D'Alembert (1717-1783), fils naturel de Mme de Tencin et du chevalier Destouches, mathématicien de grand renom, philosophe ami de Voltaire, secrétaire perpétuel de l'Académie française. Il signe en 1747 avec Diderot le contrat qui les lient aux « libraires » comme co-auteurs de l'*Encyclopédie*, où il joue dix ans un rôle actif et éminent. Malgré sa défection en 1758, Diderot lui a conservé son estime.

d'exercice que mon oncle a entrevu les premières lueurs de la théorie musicale[1].

Moi. — Ô fou, archifou, m'écriai-je, comment se fait-il que dans ta mauvaise tête, il se trouve des idées si justes, pêle-mêle, avec tant d'extravagances.

Lui. — Qui diable sait cela ? C'est le hasard qui vous les jeta, et elles demeurent. Tant y a, que, quand on ne sait pas tout, on ne sait rien de bien. On ignore où une chose va ; d'où une autre vient ; où celle-ci et celle-là veulent être placées ; laquelle doit passer la première, où sera mieux la seconde. Montre-t-on bien sans la méthode ? et la méthode, d'où naît-elle ? tenez, mon philosophe, j'ai dans la tête que la physique sera toujours une pauvre science ; une goutte d'eau prise avec la pointe d'une aiguille dans le vaste océan ; un grain détaché de la chaîne des Alpes ; et les raisons des phénomènes ? en vérité, il vaudrait autant ignorer que de savoir si peu et si mal ; et c'était précisément où j'en étais, lorsque je me fis maître d'accompagnement et de composition. À quoi rêvez-vous[2] ?

Moi. — Je rêve que tout ce que vous venez de dire, est plus spécieux que solide. Mais laissons cela. Vous avez montré, dites-vous, l'accompagnement et la composition ?

Lui. — Oui.

Moi. — Et vous n'en saviez rien du tout ?

Lui. — Non, ma foi ; et c'est pour cela qu'il y en avait de pires que moi : ceux qui croyaient savoir

---

1. Le « cher oncle » a publié ses premiers écrits théoriques à trente-neuf ans, en 1722. 2. *Rêver* : ce terme, que Diderot emploie largement dans son œuvre, et notamment dans *Le Neveu de Rameau*, n'a que très rarement le sens moderne ; il signifie « réfléchir », « penser profondément », parfois jusqu'à la distraction. C'est le cas ici, car les aperçus du Neveu sur la science comme « goutte d'eau » dans un « océan » d'ignorance rappellent à moi ses propres conceptions (exprimées par exemple dans les *Pensées sur l'interprétation de la nature*, en 1753, plus tard dans *Le Rêve de D'Alembert*, ébauché en 1769). Elles ne coïncident pourtant pas exactement. Conscient des limites de notre savoir, Diderot estime des progrès possibles, et il indique selon quelles voies.

quelque chose. Au moins je ne gâtais ni le jugement ni les mains des enfants. En passant de moi, à un bon maître, comme ils n'avaient rien appris, du moins ils n'avaient rien à désapprendre ; et c'était toujours autant d'argent et de temps épargné.

MOI. — Comment faisiez-vous ?

LUI. — Comme ils font tous. J'arrivais. Je me jetais dans une chaise : que le temps est mauvais ! que le pavé est fatigant ! Je bavardais quelques nouvelles : Mlle Lemierre[1] devait faire un rôle de vestale dans l'opéra nouveau ; mais elle est grosse pour la seconde fois. On ne sait qui la doublera. Mlle Arnould[2] vient de quitter son petit comte. On dit qu'elle est en négociation avec Bertin[3]. Le petit comte a pourtant trouvé la porcelaine de M. de Montamy[4]. Il y avait au dernier

---

1. Marie-Jeanne Lemierre (1733-1786) débuta à l'Opéra en 1750. Maîtresse du prince de Conti, elle épousa le chanteur Larrivée en 1762. L'anecdote évoquée par LUI ne sert, semble-t-il, qu'à faire valoir un bon mot. **2.** Madeleine Sophie Arnould (1740-1802) débuta à l'Opéra en 1757. On trouve son nom dans tout le répertoire des opéras de Rameau. Elle eut une longue liaison (et trois enfants) avec l'extravagant comte de Lauraguais, celui-là même qui fit enlever de la scène de la Comédie-Française les sièges de spectateurs qui l'encombraient (1759). Leur rupture temporaire de la fin de 1761 (agrémentée de négociations avec Bertin) est rapportée par Diderot à Sophie. Voir note 3, p. 40. **3.** Louis Auguste Bertin de Blagny, comme Mlle Hus, fait son entrée par la bande dans la satire de Diderot. Trésorier des Parties casuelles (occasionnelles), autrement dit responsable des fonds particuliers du roi (voir les notes 1, p. 81 et 1, p. 100), il possédait 100 000 livres de rentes, un hôtel dans le Marais et une maison de campagne à Passy. Élu en 1749 à l'Académie des inscriptions et belles-lettres, il aimait jouer le rôle de protecteur des gens de lettres et donna la main aux campagnes contre les philosophes. Sa rupture avec Mlle Hus fit grand bruit. Il ne faut pas le confondre avec son cousin Bertin d'Antigny, grand commis de l'État, qui fut contrôleur général des Finances. **4.** Didier François d'Arclais de Montamy (1704-1765), familier du baron d'Holbach et ami de Diderot, qui a publié son ouvrage posthume *Traité des couleurs pour la peinture en émail et pour la porcelaine* et le cite dans l'article ÉMAIL et dans son *Traité de la peinture en cire*. Montamy avait tenté en vain de trouver la véritable formule de la porcelaine chinoise, que le comte de Lauraguais (voir note 2, ci-dessus), qui avait soudoyé des chimistes, prétendait pour sa part avoir établie en 1764.

Concert des amateurs[1], une Italienne qui a chanté comme un ange. C'est un rare corps que ce Préville[2]. Il faut le voir dans *Le Mercure galant*[3] ; l'endroit de l'énigme est impayable. Cette pauvre Dumesnil[4] ne sait plus ni ce qu'elle dit ni ce qu'elle fait. Allons, mademoiselle ; prenez votre livre. Tandis que mademoiselle, qui ne se presse pas, cherche son livre qu'elle a égaré ; qu'on appelle une femme de chambre ; qu'on gronde[5], je continue : la Clairon est vraiment incompréhensible[6]. On parle d'un mariage fort saugrenu. C'est celui de Mlle, comment l'appelez-vous ? une petite créature qu'il entretenait, à qui il a fait deux ou trois enfants, qui avait été entretenue par tant d'autres. — Allons, Rameau ; cela ne se peut, vous radotez. — Je ne radote point. On dit même que la chose est faite. Le bruit court que de Voltaire est mort. Tant mieux. — Et pourquoi tant mieux ? — C'est qu'il va nous donner quelque bonne folie. C'est son usage que de mourir une quinzaine auparavant[7]. Que vous dirai-je encore ? Je disais quelques polissonneries, que je rapportais des maisons où j'avais été ; car nous

---

1. Le Concert des amateurs, qui existait déjà depuis plusieurs années, fut inauguré en 1769 sous la direction de Gossec. Les séances avaient lieu à l'hôtel de Soubise. **2.** Pierre-Louis Dubus, dit Préville (1721-1799), acteur de la Comédie-Française qui excellait dans la pantomime. Il joua le rôle du Commandeur dans *Le Père de famille*, mais aussi Figaro dans *Le Barbier de Séville.* **3.** *Le Mercure galant*, ou *La Comédie sans titre* (1679), de Boursault. Préville, lors de la reprise en 1753, y triompha en jouant au moins cinq rôles. **4.** Marie-Françoise Marchand, dite la Dumesnil (1714-1803), entra à la Comédie-Française en 1737, où elle fut notamment une interprète de Voltaire, rivale de Mlle Clairon. Dans le *Paradoxe sur le comédien*, Diderot oppose au jeu parfaitement maîtrisé de celle-ci le jeu improvisé, inégal, de Mlle Dumesnil : « Elle monte sur les planches sans savoir ce qu'elle dira ; la moitié du temps elle ne sait ce qu'elle dit, mais il vient un moment sublime. » Selon Bachaumont, son délire ne laissait pas d'avoir des origines bachiques. **5.** La mère gronde sa fille, elle est mécontente. **6.** Le caractère impérieux et bizarre de Mlle Clairon était attesté. **7.** Le bruit courut en effet à plusieurs reprises (fin 1753, automne 1760, printemps 1762) que Voltaire était mort. Il s'en amusait lui-même, au point que ses adversaires estimaient qu'il provoquait ces rumeurs pour sa publicité personnelle.

sommes tous, grands colporteurs [1]. Je faisais le fou. On m'écoutait. On riait. On s'écriait : Il est toujours charmant. Cependant le livre de mademoiselle s'était enfin retrouvé sous un fauteuil où il avait été traîné, mâchonné, déchiré, par un jeune doguin ou par un petit chat. Elle se mettait à son clavecin. D'abord elle y faisait du bruit, toute seule. Ensuite, je m'approchais, après avoir fait à la mère un signe d'approbation. La mère : Cela ne va pas mal ; on n'aurait qu'à vouloir ; mais on ne veut pas. On aime mieux perdre son temps à jaser, à chiffonner, à courir, à je ne sais quoi. Vous n'êtes pas sitôt parti que le livre est fermé, pour ne le rouvrir qu'à votre retour. Aussi vous ne la grondez jamais... Cependant comme il fallait faire quelque chose, je lui prenais les mains que je lui plaçais autrement. Je me dépitais. Je criais *sol, sol, sol* ; mademoiselle, c'est un *sol*. La mère : Mademoiselle, est-ce que vous n'avez point d'oreilles ? Moi qui ne suis pas au clavecin, et qui ne vois pas sur votre livre, je sens qu'il faut un *sol*. Vous donnez une peine infinie à monsieur. Je ne conçois pas sa patience. Vous ne retenez rien de ce qu'il vous dit. Vous n'avancez point... Alors je rabattais un peu les coups, et hochant de la tête, je disais : Pardonnez-moi, madame, pardonnez-moi. Cela pourrait aller mieux, si mademoiselle voulait ; si elle étudiait un peu ; mais cela ne va pas mal. La mère : À votre place, je la tiendrais un an sur la même pièce. — Ho pour cela, elle n'en sortira pas qu'elle ne soit au-dessus de toutes difficultés ; et cela ne sera pas si long que madame le croit. La mère : Monsieur Rameau, vous la flattez ; vous êtes trop bon. Voilà de sa leçon la seule chose qu'elle retiendra et qu'elle saura bien me répéter dans l'occasion... L'heure se passait. Mon écolière me présentait le petit cachet, avec la grâce du bras et la révérence qu'elle avait apprise du maître à danser. Je le mettais dans ma poche, pendant

---

1. Allusion probable au livre de Chevrier, *Le Colporteur*, dont le héros appelé Brochure vient raconter potins et ragots de bas étage à Mme de Sarmé.

que la mère disait : Fort bien, mademoiselle. Si Javillier[1] était là, il vous applaudirait. Je bavardais encore un moment par bienséance ; je disparaissais ensuite, et voilà ce qu'on appelait alors une leçon d'accompagnement.

MOI. — Et aujourd'hui, c'est donc autre chose.

LUI. — Vertudieu, je le crois. J'arrive. Je suis grave. Je me hâte d'ôter mon manchon[2]. J'ouvre le clavecin. J'essaie les touches. Je suis toujours pressé : si l'on me fait attendre un moment, je crie comme si l'on me volait un écu. Dans une heure d'ici, il faut que je sois là. Dans deux heures, chez madame la duchesse une telle. Je suis attendu à dîner chez une belle marquise ; et au sortir de là, c'est un concert chez M. le baron de Bagge[3], rue Neuve-des-Petits-Champs.

MOI. — Et cependant vous n'êtes attendu nulle part ?

LUI. — Il est vrai.

MOI. — Et pourquoi employer toutes ces petites viles ruses-là.

LUI. — Viles ! et pourquoi, s'il vous plaît. Elles sont d'usage dans mon état[4]. Je ne m'avilis point en faisant comme tout le monde. Ce n'est pas moi qui les ai inventées : et je serais bizarre et maladroit de ne pas m'y conformer. Vraiment, je sais bien que si vous allez appliquer à cela certains principes généraux de je ne sais quelle morale qu'ils ont tous à la bouche, et qu'aucun d'eux ne pratique, il se trouvera que ce qui est blanc sera noir, et que ce qui est noir sera blanc. Mais, monsieur le philosophe, il y a une conscience générale,

---

1. Jacques Javillier-Létang, ancien danseur à l'Opéra, maître à danser du roi, était célèbre dans les années 1760. **2.** *Manchon* : « Fourrure qu'on porte en hiver, propre pour y mettre les mains, afin de les tenir chaudement. [...] Les *manchons* n'étaient autrefois que pour les femmes ; aujourd'hui les hommes en portent » (*Furetière* puis *Trévoux*). **3.** Charles-Ernest, baron de Bagge, riche amateur hollandais, piètre violoniste et compositeur, donnait un concert chaque vendredi en son hôtel où il attirait d'excellents interprètes. **4.** *État* : profession, métier, situation sociale. Le terme, dans ce sens propre au XVIIIe siècle, est largement repris par la suite.

comme il y a une grammaire générale [1] ; et puis des exceptions dans chaque langue que vous appelez, je crois, vous autres savants, des... aidez-moi donc... des...

MOI. — Idiotismes [2].

LUI. — Tout juste. Hé bien, chaque état a ses exceptions à la conscience générale auxquelles je donnerais volontiers le nom d'idiotismes de métier.

MOI. — J'entends. Fontenelle [3] parle bien, écrit bien, quoique son style fourmille d'idiotismes français.

LUI. — Et le souverain, le ministre, le financier, le magistrat, le militaire, l'homme de lettres, l'avocat, le procureur, le commerçant, le banquier, l'artisan, le maître à chanter, le maître à danser, sont de fort honnêtes gens, quoique leur conduite s'écarte en plusieurs points de la conscience générale, et soit remplie d'idiotismes moraux. Plus l'institution des choses est ancienne, plus il y a d'idiotismes ; plus les temps sont malheureux, plus les idiotismes se multiplient. Tant vaut l'homme, tant vaut le métier ; et réciproquement, à la fin, tant vaut le métier, tant vaut l'homme. On fait donc valoir le métier tant qu'on peut.

MOI. — Ce que je conçois clairement à tout cet

---

1. L'expression et le concept de « grammaire générale » apparaissent en 1660 dans le titre de la grammaire dite « de Port-Royal », de Pierre Arnaud et Claude Lancelot : *Grammaire générale et raisonnée.* Au XVIIIe siècle, le grand théoricien de la grammaire générale est Beauzée, grammairien-philosophe successeur de Dumarsais dans l'*Encyclopédie.* Il y donne la définition suivante : « La grammaire générale est la science raisonnée des principes immuables et généraux de la parole prononcée ou écrite dans toutes les langues » (1757). **2.** L'*idiotisme* est « une façon de parler éloignée des usages ordinaires, ou des lois générales du langage, adaptée au génie propre d'une langue particulière » (IDIOTISME, Beauzée, 1758). Ainsi conçu, l'idiotisme « régulier » (hellénisme ou gallicisme) ne contredit pas les principes généraux censés régir toute langue, il n'est pas une exception. Diderot étend librement cette conception (lettre à Sophie de 1762) aux comportements sociaux et aux métiers, puis, avec un joyeux cynisme, « son » Neveu de Rameau lui emboite le pas en évoquant les « idiotismes de métiers », exceptions fort répandues à la conscience générale. **3.** Bernard le Bovier de Fontenelle (1657-1757), moderne, utilise (à l'excès ?) des tours propres au génie de sa langue.

entortillage, c'est qu'il y a peu de métiers honnêtement exercés, ou peu d'honnêtes gens dans leurs métiers.

LUI. — Bon, il n'y en a point ; mais en revanche, il y a peu de fripons hors de leur boutique ; et tout irait assez bien, sans un certain nombre de gens qu'on appelle assidus, exacts, remplissant rigoureusement leurs devoirs, stricts, ou ce qui revient au même toujours dans leurs boutiques, et faisant leur métier depuis le matin jusqu'au soir, et ne faisant que cela. Aussi sont-ils les seuls qui deviennent opulents et qui soient estimés.

MOI. — À force d'idiotismes.

LUI. — C'est cela. Je vois que vous m'avez compris. Or donc un idiotisme de presque tous les états, car il y en a de communs à tous les pays, à tous les temps, comme il y a des sottises communes ; un idiotisme commun est de se procurer le plus de pratiques[1] que l'on peut ; une sottise commune est de croire que le plus habile est celui qui en a le plus. Voilà deux exceptions à la conscience générale auxquelles il faut se plier. C'est une espèce de crédit. Ce n'est rien en soi ; mais cela vaut par l'opinion. On a dit que *bonne renommée valait mieux que ceinture dorée*. Cependant qui a bonne renommée n'a pas ceinture dorée ; et je vois qu'aujourd'hui qui a ceinture dorée ne manque guère de renommée. Il faut, autant qu'il est possible, avoir le renom et la ceinture. Et c'est mon objet, lorsque je me fais valoir par ce que vous qualifiez d'adresses viles, d'indignes petites ruses. Je donne ma leçon, et je la donne bien ; voilà la règle générale. Je fais croire que j'en ai plus à donner que la journée n'a d'heures. Voilà l'idiotisme.

MOI. — Et la leçon, vous la donnez bien.

LUI. — Oui, pas mal, passablement. La basse fonda-

---

1. Chalands, clients.

mentale[1] du cher oncle a bien simplifié tout cela. Autrefois je volais l'argent de mon écolier ; oui, je le volais ; cela est sûr. Aujourd'hui, je le gagne, du moins comme les autres.

MOI. — Et le voliez-vous, sans remords ?

LUI. — Ho, sans remords. On dit que *si un voleur vole l'autre, le diable s'en rit.* Les parents regorgeaient d'une fortune acquise, Dieu sait comment ; c'étaient des gens de cour, des financiers, de gros commerçants, des banquiers, des gens d'affaires. Je les aidais à restituer, moi, et une foule d'autres qu'ils employaient comme moi. Dans la nature, toutes les espèces se dévorent ; toutes les conditions se dévorent dans la société. Nous faisons justice les uns des autres, sans que la loi s'en mêle. La Deschamps[2], autrefois ; aujourd'hui la Guimard[3] venge le prince du financier ; et c'est la marchande de mode, le bijoutier, le tapissier, la lingère, l'escroc, la femme de chambre, le cuisinier, le bourrelier, qui vengent le financier de la Deschamps. Au milieu de tout cela, il n'y a que l'imbécile ou l'oisif qui soit lésé, sans avoir vexé[4] personne ; et c'est fort bien fait. D'où vous voyez que ces exceptions à la conscience générale, ou ces idiotismes moraux dont on fait tant de bruit, sous la dénomination de *tours du*

---

1. Voir la note 4, p. 25. La *basse fondamentale*, selon Jean-Philippe Rameau, « est le son de la totalité du corps sonore, avec lequel résonnent naturellement ses parties aliquotes 1/2, 1/3, 1/5, et qui composent avec lui l'accord parfait, dont il est toujours par conséquent le son le plus grave, lors même qu'on y ajoute une dissonance » (*Génération harmonique*, 1737). LUI, ici, est sérieux : cette théorie, estime-t-il, a simplifié l'enseignement de l'harmonie. **2.** Anne-Marie Pagès, dite la Deschamps (1730 ?-1775 ?), danseuse de l'Opéra, fut célèbre par ses aventures galantes et ses folles dépenses. Ruinée, elle dut vendre son mobilier en 1760. **3.** Marie-Madeleine Morelle, dite la Guimard (1743-1816), danseuse au corps de ballet de la Comédie-Française puis à l'Opéra, se fit construire à la Chaussée d'Antin un hôtel où l'on trouvait un théâtre de 500 spectateurs. Ses extravagances amoureuses et financières étaient notoires. **4.** *Vexer* : tourmenter, porter injustement tort à quelqu'un.

bâton[1], ne sont rien ; et qu'à tout[2], il n'y a que le coup d'œil qu'il faut avoir juste.

MOI. — J'admire le vôtre.

LUI. — Et puis la misère. La voix de la conscience et de l'honneur, est bien faible, lorsque les boyaux crient. Suffit que si je deviens jamais riche, il faudra bien que je restitue, et que je suis bien résolu à restituer de toutes les manières possibles, par la table, par le jeu, par le vin, par les femmes.

MOI. — Mais j'ai peur que vous ne deveniez jamais riche.

LUI. — Moi, j'en ai le soupçon.

MOI. — Mais s'il en arrivait autrement, que feriez-vous ?

LUI. — Je ferais comme tous les gueux revêtus[3] ; je serais le plus insolent maroufle[4] qu'on eût encore vu. C'est alors que je me rappellerais tout ce qu'ils m'ont fait souffrir ; et je leur rendrais bien les avanies qu'ils m'ont faites. J'aime à commander, et je commanderai. J'aime qu'on me loue et l'on me louera. J'aurai à mes gages toute la troupe villemorienne[5], et je leur dirai, comme on me l'a dit ; allons, faquins[6], qu'on m'amuse, et l'on m'amusera ; qu'on me déchire les honnêtes gens, et on les déchirera, si l'on en trouve encore ; et puis nous aurons des filles, nous nous tutoierons, quand nous serons ivres ; nous nous enivrerons ; nous ferons des contes[7] ; nous aurons toutes

---

1. « On appelle *tour du bâton* les profits illicites qu'on fait secrètement et avec adresse dans une charge, dans une commission, dans un maniement, par une métaphore apparemment tirée des charlatans, qui font mille subtilités qu'ils attribuent à la subtilité de leur petit bâton... » (*Trévoux*). **2.** Il n'est pas nécessaire d'ajouter « prendre » pour comprendre cette expression. **3.** « *Gueux revêtu* (st[yle] prov[erbial]) : Homme de rien, qui a fait fortune, et qui en est arrogant » (*Féraud*). **4.** Voir note 1, p. 38. **5.** Philippe Charles Le Gendre de Villemorien, fermier général (voir la note 483), avait épousé une fille de Bouret. **6.** Voir la note 2, p. 35. **7.** Comprenons : nous débiterons de « bons » ou « mauvais » contes, médisances contre les philosophes, telles que celles rapportées immédiatement après.

sortes de travers et de vices. Cela sera délicieux. Nous prouverons que de Voltaire[1] est sans génie ; que Buffon[2] toujours guindé sur des échasses, n'est qu'un déclamateur ampoulé ; que Montesquieu[3] n'est qu'un bel esprit ; nous reléguerons D'Alembert[4] dans ses mathématiques ; nous en donnerons sur dos et ventre à tous ces petits Catons[5], comme vous, qui nous méprisent par envie ; dont la modestie est le manteau de l'orgueil, et dont la sobriété est la loi du besoin. Et de la musique ? c'est alors que nous en ferons.

MOI. — Au digne emploi que vous feriez de la richesse, je vois combien c'est grand dommage que vous soyez gueux. Vous vivriez là d'une manière bien honorable pour l'espèce humaine, bien utile à vos concitoyens ; bien glorieuse pour vous.

LUI. — Mais je crois que vous vous moquez de moi ; monsieur le philosophe, vous ne savez pas à qui vous vous jouez ; vous ne vous doutez pas que dans ce moment je représente la partie la plus importante de la ville et de la cour. Nos opulents dans tous les états ou se sont dit à eux-mêmes ou ne se sont pas dit les mêmes choses que je vous ai confiées ; mais le fait est que la vie que je mènerais à leur place est exactement la leur. Voilà où vous en êtes, vous autres. Vous croyez que le même bonheur est fait pour tous. Quelle étrange vision ! Le vôtre suppose un certain tour d'esprit romanesque que nous n'avons pas ; une âme singulière, un goût particulier. Vous décorez cette bizarrerie du nom de vertu ; vous l'appelez philosophie. Mais la vertu, la philosophie sont-elles faites pour tout le monde. En a

---

1. Malgré les reproches qu'il pouvait adresser à Voltaire, Diderot reconnaissait pleinement son génie. Diderot écrivait « de Voltaire ». **2.** Buffon, comme Montesquieu, fait partie des écrivains et savants que Diderot a profondément admirés. **3.** Allusion au mot de Mme du Deffand, qui disait que *L'Esprit des lois* était « de l'esprit sur les lois ». **4.** D'Alembert, génie mathématique, ne bornait pas là ses grandes qualités : il a été un philosophe au plein sens du terme. **5.** Le philosophe stoïcien antique est ici pris en mauvaise part : modèle non de vertu mais d'orgueil et d'envie rentrés.

qui peut. En conserve qui peut. Imaginez l'univers sage et philosophe ; convenez qu'il serait diablement triste. Tenez, vive la philosophie ; vive la sagesse de Salomon. Boire de bon vin, se gorger de mets délicats ; se rouler sur de jolies femmes ; se reposer dans des lits bien mollets : excepté cela, le reste n'est que vanité [1].

MOI. — Quoi, défendre sa patrie ?

LUI. — Vanité. Il n'y a plus de patrie. Je ne vois d'un pôle à l'autre que des tyrans et des esclaves [2].

MOI. — Servir ses amis ?

LUI. — Vanité. Est-ce qu'on a des amis ? Quand on en aurait, faudrait-il en faire des ingrats ? Regardez-y bien, et vous verrez que c'est presque toujours là ce qu'on recueille des services rendus. La reconnaissance est un fardeau ; et tout fardeau est fait pour être secoué.

MOI. — Avoir un état dans la société et en remplir les devoirs ?

LUI. — Vanité. Qu'importe qu'on ait un état, ou non ; pourvu qu'on soit riche ; puisqu'on ne prend un état que pour le devenir. Remplir ses devoirs, à quoi cela mène-t-il ? À la jalousie, au trouble, à la persécution. Est-ce ainsi qu'on s'avance ? Faire sa cour, morbleu ; faire sa cour ; voir les grands ; étudier leurs goûts ; se prêter à leurs fantaisies ; servir leurs vices ; approuver leurs injustices. Voilà le secret.

MOI. — Veiller à l'éducation de ses enfants ?

LUI. — Vanité. C'est l'affaire d'un précepteur.

MOI. — Mais si ce précepteur, pénétré de vos principes, néglige ses devoirs ; qui est-ce qui en sera châtié ?

LUI. — Ma foi, ce ne sera pas moi ; mais peut-être un jour, le mari de ma fille, ou la femme de mon fils.

MOI. — Mais si l'un et l'autre se précipitent dans la débauche et les vices ?

LUI. — Cela est de leur état.

---

1. Cette burlesque sagesse de Salomon démarque plaisamment l'*Ecclésiaste* : *vanité des vanités, tout est vanité*. Le Philosophe n'est en somme qu'une bizarre exception à la règle commune, un idiotisme parfaitement non exemplaire. **2.** Sur ce point de fait, LUI, Rousseau (*Discours sur l'origine de l'inégalité*) et Diderot sont d'accord.

MOI. — S'ils se déshonorent ?

LUI. — Quoi qu'on fasse, on ne peut se déshonorer, quand on est riche.

MOI. — S'ils se ruinent ?

LUI. — Tant pis pour eux.

MOI. — Je vois que, si vous vous dispensez de veiller à la conduite de votre femme, de vos enfants, de vos domestiques, vous pourriez aisément négliger vos affaires.

LUI. — Pardonnez-moi ; il est quelquefois difficile de trouver de l'argent ; et il est prudent de s'y prendre de loin.

MOI. — Vous donnerez peu de soin à votre femme.

LUI. — Aucun, s'il vous plaît. Le meilleur procédé, je crois, qu'on puisse avoir avec sa chère moitié, c'est de faire ce qui lui convient. À votre avis, la société ne serait-elle pas fort amusante, si chacun y était à sa chose [1] ?

MOI. — Pourquoi pas ? La soirée n'est jamais plus belle pour moi que quand je suis content de ma matinée.

LUI. — Et pour moi aussi.

MOI. — Ce qui rend les gens du monde si délicats sur leurs amusements, c'est leur profonde oisiveté.

LUI. — Ne croyez pas cela. Ils s'agitent beaucoup.

MOI. — Comme ils ne se lassent jamais, ils ne se délassent jamais.

LUI. — Ne croyez pas cela. Ils sont sans cesse excédés.

MOI. — Le plaisir est toujours une affaire pour eux, et jamais un besoin.

LUI. — Tant mieux, le besoin est toujours une peine.

MOI. — Ils usent tout. Leur âme s'hébète. L'ennui s'en empare. Celui qui leur ôterait la vie, au milieu de

---

1. La *Satire première* contient une expression très proche de celle-ci : « Heureuse la société où chacun serait à sa chose et ne serait qu'à sa chose ! » Mais, comme le fait remarquer H. Coulet, ici elle désigne le contraire de « faire son métier », « s'en tenir à son état », et signifie « s'abandonner à son égoïsme naturel ».

leur abondance accablante, les servirait. C'est qu'ils ne connaissent du bonheur que la partie qui s'émousse le plus vite. Je ne méprise pas les plaisirs des sens. J'ai un palais aussi, et il est flatté d'un mets délicat, ou d'un vin délicieux. J'ai un cœur et des yeux ; et j'aime à voir une jolie femme. J'aime à sentir sous ma main la fermeté et la rondeur de sa gorge ; à presser ses lèvres des miennes ; à puiser la volupté dans ses regards, et à en expirer entre ses bras. Quelquefois avec mes amis, une partie de débauche[1], même un peu tumultueuse, ne me déplaît pas. Mais je ne vous le dissimulerai pas, il m'est infiniment plus doux encore d'avoir secouru le malheureux, d'avoir terminé une affaire épineuse, donné un conseil salutaire, fait une lecture agréable ; une promenade avec un homme ou une femme chère à mon cœur ; passé quelques heures instructives avec mes enfants, écrit une bonne page, rempli les devoirs de mon état ; dit à celle que j'aime quelques choses tendres et douces qui amènent ses bras autour de mon cou. Je connais telle action que je voudrais avoir faite pour tout ce que je possède. C'est un sublime ouvrage que *Mahomet* ; j'aimerais mieux avoir réhabilité la mémoire des Calas[2]. Un homme de ma connaissance s'était réfugié à Carthagène. C'était un cadet de famille, dans un pays où la coutume transfère tout le bien aux aînés. Là il apprend que son aîné, enfant gâté, après avoir dépouillé son père et sa mère, trop faciles, de tout ce qu'ils possédaient, les avait expulsés de leur château, et que les bons vieillards languissaient indigents, dans une petite ville de la pro-

---

1. « *Débauche* : 1° Un dérèglement, un excès, surtout dans le boire et le manger. [...] 3° On le dit d'une honnête réjouissance dans un repas ; mais alors l'épithète le détermine à un bon sens » (*Féraud*).
2. Pour *Mahomet*, voir la note 1, p. 34. La campagne que Voltaire a menée pour la réhabilitation du protestant Calas, injustement accusé d'avoir tué son propre fils et supplicié à Toulouse en 1762, l'a rendu extrêmement populaire. Elle donne lieu au *Traité sur la tolérance* (1763). Calas fut réhabilité et sa famille mise définitivement hors de cause en 1765. Diderot oppose ici, comme il le fait ailleurs, la belle page et la belle action.

vince. Que fait alors ce cadet qui, traité durement par ses parents, était allé tenter la fortune au loin ; il leur envoie des secours ; il se hâte d'arranger ses affaires. Il revient opulent. Il ramène son père et sa mère dans leur domicile. Il marie ses sœurs. Ah, mon cher Rameau : cet homme regardait cet intervalle, comme le plus heureux de sa vie [1]. C'est les larmes aux yeux qu'il m'en parlait ; et moi, je sens, en vous faisant ce récit, mon cœur se troubler de joie, et le plaisir me couper la parole.

LUI. — Vous êtes des êtres bien singuliers !

MOI. — Vous êtes des êtres bien à plaindre, si vous n'imaginez pas qu'on s'est élevé au-dessus du sort, et qu'il est impossible d'être malheureux, à l'abri de deux belles actions, telles que celle-ci.

LUI. — Voilà une espèce de félicité avec laquelle j'aurai de la peine à me familiariser, car on la rencontre rarement. Mais à votre compte, il faudrait donc être d'honnêtes gens ?

MOI. — Pour être heureux ? assurément.

LUI. — Cependant, je vois une infinité d'honnêtes gens qui ne sont pas heureux ; et une infinité de gens qui sont heureux sans être honnêtes [2].

MOI. — Il vous semble.

LUI. — Et n'est-ce pas pour avoir eu du sens commun et de la franchise un moment, que je ne sais où aller souper ce soir ?

MOI. — Hé non, c'est pour n'en avoir pas toujours eu. C'est pour n'avoir pas senti de bonne heure qu'il fallait d'abord se faire une ressource indépendante de la servitude.

---

1. Ce récit a été conté à Diderot par « le père Hoop », original rencontré chez d'Holbach au Grandval. Une lettre à Sophie de 1760 relate cet événement attendrissant et édifiant dont Hoop est le héros.
2. Depuis l'*Essai sur le mérite et la vertu* (1745) jusqu'à l'*Essai sur les règnes de Claude et Néron* (1783), Diderot a agité cette question pour lui cruciale, qu'il n'a jamais abordée théoriquement mais dont *Jacques le Fataliste*, *Le Neveu de Rameau* et à des titres divers toute son œuvre traitent par l'exemple et la réflexion critique.

LUI. — Indépendante ou non, celle que je me suis faite est au moins la plus aisée.

MOI. — Et la moins sûre, et la moins honnête.

LUI. — Mais la plus conforme à mon caractère de fainéant, de sot, de vaurien.

MOI. — D'accord.

LUI. — Et que puisque je puis faire mon bonheur par des vices qui me sont naturels, que j'ai acquis sans travail, que je conserve sans effort, qui cadrent avec les mœurs de ma nation ; qui sont du goût de ceux qui me protègent, et plus analogues à leurs petits besoins particuliers que des vertus qui les gêneraient [1], en les accusant depuis le matin jusqu'au soir ; il serait bien singulier que j'allasse me tourmenter comme une âme damnée, pour me bistourner [2] et me faire autre que je ne suis ; pour me donner un caractère étranger au mien ; des qualités très estimables, j'y consens, pour ne pas disputer ; mais qui me coûteraient beaucoup à acquérir, à pratiquer, ne me mèneraient à rien, peut-être à pis que rien, par la satire continuelle des riches auprès desquels les gueux comme moi ont à chercher leur vie. On loue la vertu ; mais on la hait ; mais on la fuit ; mais elle gèle de froid ; et dans ce monde, il faut avoir les pieds chauds. Et puis cela me donnerait de l'humeur, infailliblement ; car pourquoi voyons-nous si fréquemment les dévots si durs, si fâcheux, si insociables ? c'est qu'ils se sont imposé une tâche qui ne leur est pas naturelle. Ils souffrent, et quand on souffre, on fait souffrir les autres. Ce n'est pas là mon compte, ni celui de mes protecteurs ; il faut que je sois gai, souple, plaisant, bouffon, drôle. La vertu se fait respecter ; et le respect est incommode. La vertu se fait admirer, et l'admiration n'est pas amusante. J'ai à faire à des gens qui s'ennuient et il faut que je les fasse rire. Or c'est

---

1. *Gêner* peut garder au XVIIIe siècle quelque chose du sens fort de « mettre au supplice ». 2. « *Bistourner* : rendre les animaux inhabiles à la génération » (*Féraud*). Dans le langage populaire, le verbe garde son sens originel de « mal tourner », « tourner de mauvaise manière ».

le ridicule et la folie qui font rire, il faut donc que je sois ridicule et fou ; et quand la nature ne m'aurait pas fait tel, le plus court serait de le paraître. Heureusement, je n'ai pas besoin d'être hypocrite ; il y en a déjà tant de toutes les couleurs, sans compter ceux qui le sont avec eux-mêmes. Ce chevalier de La Morlière[1] qui retape son chapeau sur son oreille, qui porte la tête au vent, qui vous regarde le passant par-dessus l'épaule, qui fait battre une longue épée sur sa cuisse, qui a l'insulte toute prête pour celui qui n'en porte point, et qui semble adresser un défi à tout venant, que fait-il ? tout ce qu'il peut pour se persuader qu'il est un homme de cœur ; mais il est lâche. Offrez-lui une croquignole[2] sur le bout du nez, et il la recevra en douceur. Voulez-vous lui faire baisser le ton, élevez-le. Montrez-lui votre canne, ou appliquez votre pied entre ses fesses ; tout étonné de se trouver un lâche, il vous demandera qui est-ce qui vous l'a appris ? d'où vous le savez ? Lui-même l'ignorait le moment précédent ; une longue et habituelle singerie de bravoure lui en avait imposé. Il avait tant fait les mines, qu'il se croyait la chose. Et cette femme qui se mortifie, qui visite les prisons, qui assiste à toutes les assemblées de charité, qui marche les yeux baissés, qui n'oserait regarder un homme en face, sans cesse en garde contre la séduction de ses sens ; tout cela empêche-t-il que son cœur ne brûle, que des soupirs ne lui échappent ; que son tempérament ne s'allume ; que les désirs ne l'obsèdent, et que son imagination ne lui retrace la nuit et le jour, les scènes du *Portier des Chartreux*[3], les

---

1. Jacques Rochette, chevalier de La Morlière (1701-1785), ancien mousquetaire, gueux, escroc et maître chanteur, chef de claque au théâtre, est l'auteur de quelques pièces sifflées et de bons romans, dont *Angola* (1746). **2.** Selon J. Fabre, jeu sur le mot qui signifie une chiquenaude et une sorte de pâtisserie sèche. **3.** L'*Histoire de Dom B..., portier des Chartreux* (1744), de J. Charles Gervaise de Latouche, illustrée par le comte de Caylus, est un classique de la littérature pornographique du siècle.

postures de *l'Arétin*[1] ? Alors que devient-elle ? Qu'en pense sa femme de chambre, lorsqu'elle se lève en chemise, et qu'elle vole au secours de sa maîtresse qui se meurt ? Justine, allez vous recoucher. Ce n'est pas vous que votre maîtresse appelle dans son délire. Et l'ami Rameau, s'il se mettait un jour à marquer du mépris pour la fortune, les femmes, la bonne chère, l'oisiveté, à catoniser[2], que serait-il ? un hypocrite. Il faut que Rameau soit ce qu'il est : un brigand heureux avec des brigands opulents ; et non un fanfaron de vertu, ou même un homme vertueux, rongeant sa croûte de pain, seul, ou à côté des gueux. Et pour le trancher net, je ne m'accommode point de votre félicité, ni du bonheur de quelques visionnaires, comme vous.

MOI. — Je vois, mon cher, que vous ignorez ce que c'est, et que vous n'êtes pas même fait pour l'apprendre.

LUI. — Tant mieux, mordieu ! tant mieux. Cela me ferait crever de faim, d'ennui, et de remords peut-être.

MOI. — D'après cela, le seul conseil que j'aie à vous donner, c'est de rentrer bien vite dans la maison d'où vous vous êtes imprudemment fait chasser.

LUI. — Et de faire ce que vous ne désapprouvez pas au simple, et ce qui me répugne un peu au figuré ?

MOI. — C'est mon avis.

LUI. — Indépendamment de cette métaphore qui me déplaît dans ce moment, et qui ne me déplaira pas dans un autre.

MOI. — Quelle singularité !

LUI. — Il n'y a rien de singulier à cela. Je veux bien être abject ; mais je veux que ce soit sans contrainte. Je veux bien descendre de ma dignité... Vous riez ?

MOI. — Oui, votre dignité me fait rire.

LUI. — Chacun a la sienne ; je veux bien oublier la mienne, mais à ma discrétion, et non à l'ordre d'autrui.

---

1. Les *postures de l'Arétin* sont une autre référence pornographique fameuse, tirée des *Ragionamenti* (1543) de l'auteur italien Pietro Bacci Aretino, que des artistes comme Annibal Carrache ont illustrés au XVIe siècle. **2.** Voir la note 5, p. 63.

Faut-il qu'on puisse me dire : Rampe, et que je sois obligé de ramper ? C'est l'allure du ver ; c'est mon allure : nous la suivons l'un et l'autre, quand on nous laisse aller ; mais nous nous redressons, quand on nous marche sur la queue. On m'a marché sur la queue, et je me redresserai. Et puis vous n'avez pas l'idée de la pétaudière dont il s'agit. Imaginez un mélancolique [1] et maussade personnage, dévoré de vapeurs [2], enveloppé dans deux ou trois tours de robe de chambre ; qui se déplaît à lui-même, à qui tout déplaît ; qu'on fait à peine sourire, en se disloquant le corps et l'esprit, en cent manières diverses ; qui considère froidement les grimaces plaisantes de mon visage, et celles de mon jugement qui sont plus plaisantes encore ; car entre nous, ce père Noël [3], ce vilain bénédictin si renommé pour les grimaces ; malgré ses succès à la cour, n'est, sans me vanter ni lui non plus, à comparaison de moi, qu'un polichinelle de bois. J'ai beau me tourmenter pour atteindre au sublime des Petites-Maisons [4], rien n'y fait. Rira-t-il ? ne rira-t-il pas ? Voilà ce que je suis forcé de me dire au milieu de mes contorsions ; et vous pouvez juger combien cette incertitude nuit au talent. Mon hypocondre [5], la tête renfoncée dans un bonnet de

---

1. *Mélancolique*. James distingue dans son *Dictionnaire* (traduit par Diderot) les mélancolies vagabonde (ou erratique), ordinaire et apoplectique. C'est la première espèce que Diderot applique à Bertin : « Ils semblent ne faire aucune attention à ce qu'on leur dit, ils ne répondent point. » **2.** « *En Médecine*, est une maladie appelée autrement *mal hypocondriaque* et *mal de rate*. [...] On croit qu'elle provient d'une *vapeur* subtile qui s'élève des parties inférieures de l'abdomen, surtout des hypocondres, et de la matrice au cerveau, qu'elle trouble et qu'elle remplit d'idées étranges et extravagantes, mais ordinairement désagréables » (*Encyclopédie*). **3.** Le père Noël, bénédictin de Reims, vendait des instruments d'optique. Il devint fournisseur du roi. On ne sait trop pourquoi Diderot lui en voulait. **4.** Les *Petites-Maisons* étaient un hôpital d'aliénés à l'emplacement de l'actuel square Boucicaut. Le terme, employé ici pour les grimaces et contorsions bouffonnes, était devenu générique. **5.** Le *Dictionnaire* de James note : « L'*affection hypocondrique* n'est pas la moindre des maladies spasmodiques qui affectent le système nerveux, et son nom lui vient de ce qu'elle exerce

nuit qui lui couvre les yeux, a l'air d'une pagode[1] immobile à laquelle on aurait attaché un fil au menton, d'où il descendrait jusque sous son fauteuil. On attend que le fil se tire ; et il ne se tire point ; ou s'il arrive que la mâchoire s'entrouvre, c'est pour articuler un mot désolant, un mot qui vous apprend que vous n'avez point été aperçu, et que toutes vos singeries sont perdues ; ce mot est la réponse à une question que vous lui aurez faite il y a quatre jours ; ce mot dit, le ressort mastoïde se détend, et la mâchoire se referme[2]...

Puis il se mit à contrefaire son homme ; il s'était placé dans une chaise, la tête fixe, le chapeau jusque sur ses paupières, les yeux à demi clos, les bras pendants, remuant sa mâchoire, comme un automate, et disant : Oui ; vous avez raison, mademoiselle. Il faut mettre de la finesse là. C'est que cela décide ; que cela décide toujours, et sans appel ; le soir, le matin, à la toilette, à dîner[3], au café ; au jeu, au théâtre, à souper, au lit, et Dieu me le pardonne, je crois entre les bras de sa maîtresse. Je ne suis pas à portée d'entendre ces dernières décisions-ci ; mais je suis diablement las des autres. Triste, obscur, et tranché, comme le destin ; tel est notre patron.

---

principalement sa tyrannie au-dessus du cartilage xiphoïde, et des fausses côtes, dans la région des *hypocondres.* » « *Hypocondre* est aussi quelquefois adjectif, et signifie aussi quelquefois *hypocondriaque* » (*Trévoux*).

1. Originairement temples indiens, puis idoles chinoises en porcelaine, elles désignent « de petites figures, ordinairement en porcelaine, et qui souvent ont la tête mobile, ce qui a donné lieu à ces façons de parler du style familier : *Il remue la tête comme une pagode* ; *ce n'est qu'une pagode* » (*Académie*). **2.** Alors que Bertin n'est pas nommé, on remarquera, à la suite de J. Chouillet, que le passage est proche de ce que Diderot écrit à Sophie Volland, en novembre 1760, du baron d'Holbach, sujet à de telles crises de misanthropie dépressive. **3.** *Dîner*, rappelons-le, désignait alors notre « déjeuner » et *souper* ce que nous nommons « dîner ».

Vis-à-vis, c'est une bégueule [1] qui joue l'importance ; à qui l'on se résoudrait à dire qu'elle est jolie, parce qu'elle l'est encore ; quoiqu'elle ait sur le visage quelques gales [2], par-ci par-là, et qu'elle coure après le volume de madame Bouvillon [3]. J'aime les chairs, quand elles sont belles ; mais aussi trop est trop ; et le mouvement est si essentiel à la matière [4] ! *Item* [5], elle est plus méchante, plus fière et plus bête qu'une oie. *Item*, elle veut avoir de l'esprit. *Item*, il faut lui persuader qu'on lui en croit comme à personne. *Item*, cela ne sait rien, et cela décide aussi. *Item*, il faut applaudir à ces décisions, des pieds et des mains, sauter d'aise, se transir d'admiration : Que cela est beau, délicat, bien dit, finement vu, singulièrement senti. Où les femmes prennent-elles cela ? Sans étude, par la seule force de l'instinct, par la seule lumière naturelle : cela tient du prodige. Et puis qu'on vienne nous dire que l'expérience, l'étude, la réflexion, l'éducation y font quelque chose, et autres pareilles sottises ; et pleurer de joie. Dix fois dans la journée, se courber, un genou fléchi en devant, l'autre jambe tirée en arrière. Les bras étendus vers la déesse, chercher son désir dans ses yeux, rester suspendu à sa lèvre, attendre son ordre et partir comme un éclair. Qui est-ce qui peut s'assujettir à un rôle pareil, si ce n'est le misérable qui trouve là, deux ou trois fois la semaine, de quoi calmer la tribulation [6] de ses intestins ? Que penser des autres, tels que le

---

1. « Injure populaire qu'on dit aux femmes de basse condition qu'on taxe de niaiserie, et d'avoir toujours la gueule *bée*, ou ouverte » (*Trévoux*). **2.** « C'est une tache qui vient ordinairement sur les fanes de l'œillet, et gagne peu à peu jusqu'au cœur, si on n'a pas soin de couper celles qui en sont attaquées » (*Trévoux*). **3.** Mme Bouvillon : personnage du *Roman comique* de Scarron (1657), elle ne pesait pas moins de « trente quintaux ». **4.** « Le mouvement est essentiel à la matière » : formule (sérieuse) de Diderot lui-même dans ses *Principes philosophiques sur la matière et le mouvement*, rédigés en 1770, mais publiés en 1792. On dira avec H. Coulet qu'il s'agit là, reprise avec le « si », d'une plaisanterie à usage personnel du Philosophe. **5.** *Item* : de plus. Utilisé dans des énumérations de type juridique, le mot latin est plaisamment repris à l'époque classique dans le style comique. **6.** « *Tribulation*. [...] Afflictions, adversités » (*Féraud*). Ce

Palissot, le Fréron, les Poinsinet[1], le Baculard[2] qui ont quelque chose, et dont les bassesses ne peuvent s'excuser par le borborygme d'un estomac qui souffre ?

MOI. — Je ne vous aurais jamais cru si difficile.

LUI. — Je ne le suis pas. Au commencement je voyais faire les autres, et je faisais comme eux, même un peu mieux ; parce que je suis plus franchement impudent, meilleur comédien, plus affamé, fourni de meilleurs poumons. Je descends apparemment en droite ligne du fameux Stentor[3].

Et pour me donner une juste idée de la force de ce viscère, il se mit à tousser d'une violence à ébranler les vitres du café, et à suspendre l'attention des joueurs d'échecs.

MOI. — Mais à quoi bon ce talent ?

LUI. — Vous ne le devinez pas ?

MOI. — Non. Je suis un peu borné.

LUI. — Supposez la dispute engagée et la victoire incertaine : je me lève, et déployant mon tonnerre, je dis : cela est, comme mademoiselle l'assure. C'est là ce qui s'appelle juger. Je le donne en cent à tous nos beaux esprits. L'expression est de génie. Mais il ne faut pas toujours approuver de la même manière. On serait monotone. On aurait l'air faux. On deviendrait insipide. On ne se sauve de là que par du jugement, de la fécondité ;

---

terme, originairement d'usage noble (« Dieu éprouve ses élus par des tribulations »), était passé dans le registre plus commun. Ici, il est plaisant et moqueur.

1. Sur Palissot, les Fréron et Poinsinet, voir les notes 4, p. 35, 2, p. 36 et 1, p. 36. L'autre Poinsinet, cousin du premier, est Louis Poinsinet de Sivry (1732-1804), traducteur d'Aristophane, auteur de quelques ouvrages de théâtre dont, probablement, *Les Philosophes de bois* (1760) et *Le Père Cassandre*, parodie du *Père de famille* de Diderot (1761). **2.** François Thomas de Baculard d'Arnaud (1718-1805), compagnon de bohème du jeune Diderot dans les années quarante, plus tard collaborateur de Fréron à *L'Année littéraire*, auteur de drames et de romans sentimentaux, et protégé de Frédéric II. **3.** Ce héros grec de l'*Iliade* avait une voix dont la puissance égalait celle de cinquante hommes réunis.

il faut savoir préparer et placer ces tons majeurs et péremptoires, saisir l'occasion et le moment ; lors par exemple, qu'il y a partage entre les sentiments ; que la dispute s'est élevée à son dernier degré de violence ; qu'on ne s'entend plus ; que tous parlent à la fois : il faut être placé à l'écart, dans l'angle de l'appartement le plus éloigné du champ de bataille, avoir préparé son explosion par un long silence, et tomber subitement comme une comminge[1], au milieu des contendants[2]. Personne n'a eu cet art comme moi. Mais où je suis surprenant, c'est dans l'opposé ; j'ai des petits tons que j'accompagne d'un sourire ; une variété infinie de mines approbatives ; là, le nez, la bouche, le front, les yeux entrent en jeu ; j'ai une souplesse de reins ; une manière de contourner l'épine du dos, de hausser ou de baisser les épaules, d'étendre les doigts, d'incliner la tête, de fermer les yeux, et d'être stupéfait, comme si j'avais entendu descendre du ciel une voix angélique et divine. C'est là ce qui flatte. Je ne sais si vous saisissez bien toute l'énergie[3] de cette dernière attitude-là. Je ne l'ai point inventée ; mais personne ne m'a surpassé dans l'exécution. Voyez. Voyez.

MOI. — Il est vrai que cela est unique.

LUI. — Croyez-vous qu'il y ait cervelle de femme un peu vaine qui tienne à cela ?

MOI. — Non. Il faut convenir que vous avez porté le talent de faire des fous[4], et de s'avilir, aussi loin qu'il est possible.

---

1. Cette « espèce de mortier plus gros que les mortiers ordinaires, et qui jette des bombes dont le poids va jusqu'à cinq cents livres » (*Encyclopédie*) a été utilisé pour la première fois au siège de Mons, en 1691. Il tire par plaisanterie son nom du comte de Comminges, « d'une grosseur énorme », qui était alors aide de camp de Louis XIV. Le terme, comme ici, se disait surtout des projectiles de forte taille. **2.** Latinisme dans le sens de « concurrents », « compétiteurs ». **3.** *Énergie*. La force intérieure requise pour cette position l'assimile, non sans ironie, à une œuvre d'art. **4.** Certains commentateurs comprennent « faire perdre leur bon sens aux personnes que l'on flatte », d'autres « avoir le talent, la maestria propre aux fous comme vous ».

LUI. — Ils auront beau faire, tous tant qu'ils sont ; ils n'en viendront jamais là. Le meilleur d'entre eux, Palissot[1], par exemple, ne sera jamais qu'un bon écolier. Mais si ce rôle amuse d'abord, et si l'on goûte quelque plaisir à se moquer en dedans, de la bêtise de ceux qu'on enivre ; à la longue cela ne pique plus ; et puis après un certain nombre de découvertes, on est forcé de se répéter. L'esprit et l'art ont leurs limites. Il n'y a que Dieu ou quelques génies rares pour qui la carrière s'étend, à mesure qu'ils y avancent. Bouret[2] en est un peut-être. Il y a de celui-ci des traits qui m'en donnent, à moi, oui à moi-même, la plus sublime idée. Le petit chien, le livre de la félicité[3], les flambeaux sur la route de Versailles[4] sont de ces choses qui me confondent et m'humilient. Ce serait capable de dégoûter du métier.

MOI. — Que voulez-vous dire avec votre petit chien ?

LUI. — D'où venez-vous donc ? Quoi, sérieusement vous ignorez comment cet homme rare s'y prit pour détacher de lui et attacher au garde des sceaux[5] un petit chien[6] qui plaisait à celui-ci ?

---

1. Palissot. Voir la note 4, p. 35. **2.** Étienne Michel Bouret de Silhouette (1710-1777), fils d'un laquais, fut entre autres sinécures trésorier général de la Maison du roi et directeur du personnel des Fermes (c'est-à-dire des impôts, voir la note 3, p. 146). Spéculateur immensément riche, il professait à l'égard du roi la plus servile des admirations. Protecteur des anti-philosophes, il fut associé à Choiseul dans la répression des « Cacouacs ». Deux de ses gendres et associés en toutes choses, Villemorien (voir la note 5, p. 62) et Montsauge, sont cités dans la satire. Il mourut ruiné. **3.** Ce « livre de la félicité » est *Le Vrai Bonheur*, registre manuscrit richement orné de cinquante feuillets, dont chaque page contenait ces mots : *Le Roi est venu chez Bouret*, avec la date. Le roi venait en effet régulièrement depuis 1759. **4.** Bouret possédait une luxueuse résidence de campagne à Croix-Fontaine (entre Corbeil et Melun) ainsi qu'un rendez-vous de chasse dans la forêt de Rougeau. Une fois que la chasse royale devait venir le soir, Bouret échelonna tous les vingt pas des porteurs de torche de Versailles jusqu'à Croix-Fontaine. **5.** Le garde des sceaux est Jean-Baptiste Machaut d'Arnouville (1701-1794), protecteur de Bouret, qui obtint cette charge en 1750 tout en conservant le contrôle général des finances. **6.** L'histoire de la « levrette » est contée par Pidansat de Mairobert dans *L'Espion anglais* du 2 janvier 1774.

MOI. — Je l'ignore, je le confesse.

LUI. — Tant mieux. C'est une des plus belles choses qu'on ait imaginées ; toute l'Europe en a été émerveillée, et il n'y a pas un courtisan dont elle n'ait excité l'envie. Vous qui ne manquez pas de sagacité, voyons comment vous vous y seriez pris à sa place. Songez que Bouret était aimé de son chien. Songez que le vêtement bizarre du ministre effrayait le petit animal. Songez qu'il n'avait que huit jours pour vaincre les difficultés. Il faut connaître toutes les conditions du problème, pour bien sentir le mérite de la solution. Hé bien ?

MOI. — Hé bien, il faut que je vous avoue que dans ce genre, les choses les plus faciles m'embarrasseraient.

LUI. — Écoutez, me dit-il, en me frappant un petit coup sur l'épaule, car il est familier ; écoutez et admirez. Il se fait faire un masque qui ressemble au garde des sceaux ; il emprunte d'un valet de chambre la volumineuse simarre[1]. Il se couvre le visage du masque. Il endosse la simarre. Il appelle son chien ; il le caresse. Il lui donne la gimblette[2]. Puis tout à coup, changeant de décoration, ce n'est plus le garde des sceaux ; c'est Bouret qui appelle son chien et qui le fouette. En moins de deux ou trois jours de cet exercice continué du matin au soir, le chien sait fuir Bouret le fermier général, et courir à Bouret le garde des sceaux. Mais je suis trop bon. Vous êtes un profane qui ne méritez pas d'être instruit des miracles qui s'opèrent à côté de vous.

MOI. — Malgré cela, je vous prie, le livre, les flambeaux.

LUI. — Non, non. Adressez-vous aux pavés[3] qui

---

1. « Autrefois robe longue et traînante que portaient les femmes [...] et que portent toujours le chancelier de France et le garde des sceaux » (*Féraud*). **2.** « C'est un ouvrage de confiserie faite en forme d'anneaux, de chiffres, etc. » (*Encyclopédie*). **3.** La référence évangélique (Luc, XIX, 40), note J. Chouillet, ne saurait faire oublier, depuis l'entrée de la propriété, la « belle route pavée et entretenue avec tout le soin possible, et aux dépens de M. Bouret ».

vous diront ces choses-là ; et profitez de la circonstance qui nous a rapprochés, pour apprendre des choses que personne ne sait que moi.

MOI. — Vous avez raison.

LUI. — Emprunter la robe et la perruque ; j'avais oublié, la perruque, du garde des sceaux ! Se faire un masque qui lui ressemble ! Le masque surtout me tourne la tête. Aussi cet homme jouit-il de la plus haute considération. Aussi possède-t-il des millions. Il y a des croix de St-Louis[1] qui n'ont pas de pain ; aussi pourquoi courir après la croix, au hasard de se faire échiner ; et ne pas se tourner vers un état sans péril qui ne manque jamais sa récompense ? Voilà ce qui s'appelle aller au grand. Ces modèles-là sont décourageants. On a pitié de soi ; et l'on s'ennuie. Le masque ! le masque ! Je donnerais un de mes doigts, pour avoir trouvé le masque.

MOI. — Mais avec cet enthousiasme pour les belles choses, et cette fertilité de génie que vous possédez, est-ce que vous n'avez rien inventé ?

LUI. — Pardonnez-moi ; par exemple, l'attitude admirative du dos dont je vous ai parlé ; je la regarde comme mienne, quoiqu'elle puisse peut-être m'être contestée par des envieux. Je crois bien qu'on l'a employée auparavant ; mais qui est-ce qui a senti combien elle était commode pour rire en dessous de l'impertinent qu'on admirait ? J'ai plus de cent façons d'entamer la séduction d'une jeune fille, à côté de sa mère, sans que celle-ci s'en aperçoive, et même de la rendre complice. À peine entrais-je dans la carrière que je dédaignai toutes les manières vulgaires de glisser un billet doux. J'ai dix moyens de me le faire arracher, et parmi ces moyens, j'ose me flatter qu'il y en a de nou-

---

1. C'est, dit J.-C. Bonnet, le célèbre thème de Bélisaire, vieux général abandonné par les siens, traité par Marmontel et David. L'ordre des *Croix de St-Louis*, créé en 1693 par Louis XIV, devait permettre à des officiers âgés et méritants de terminer décemment leur vie. Or leur pension était très maigre et la misère des pensionnés proverbiale.

veaux. Je possède surtout le talent d'encourager un jeune homme timide ; j'en ai fait réussir qui n'avaient ni esprit ni figure[1]. Si cela était écrit, je crois qu'on m'accorderait quelque génie.

MOI. — Vous ferait un honneur singulier[2] ?

LUI. — Je n'en doute pas.

MOI. — À votre place, je jetterais ces choses-là sur le papier. Ce serait dommage qu'elles se perdissent.

LUI. — Il est vrai ; mais vous ne soupçonnez pas combien je fais peu de cas de la méthode et des préceptes. Celui qui a besoin d'un protocole[3] n'ira jamais loin. Les génies lisent peu, pratiquent beaucoup, et se font d'eux-mêmes. Voyez César, Turenne, Vauban, la marquise de Tencin[4], son frère le cardinal, et le secrétaire de celui-ci, l'abbé Trublet[5]. Et Bouret ? qui est-ce qui a donné des leçons à Bouret ? personne. C'est la nature qui forme ces hommes rares-là. Croyez-vous que l'histoire du chien et du masque soit écrite quelque part ?

MOI. — Mais à vos heures perdues ; lorsque l'angoisse de votre estomac vide ou la fatigue de votre estomac surchargé éloigne le sommeil...

LUI. — J'y penserai ; il vaut mieux écrire de grandes

---

1. En art et en morale, la *figure* désigne « l'expérience, la représentation, l'apparence. *Species*. [...] Par application aux personnes, elle peut désigner l'apparence extérieure » (*Trévoux*). On l'applique aussi au visage (*Encyclopédie*). Ici, c'est évidemment le second sens qui convient. **2.** Ainsi formulée et ponctuée, la phrase est bizarre, bien que globalement compréhensible. **3.** « Formulaire de plusieurs actes de justice pour instruire les novices en la pratique » (*Trévoux*). L'opposition entre le génie et la méthode a tôt préoccupé Diderot (voir les pensées XXX et XXXI de *L'Interprétation de la nature* et la lettre à Sophie du 20 octobre 1760). **4.** Claudine Alexandrine Guérin de Tencin (1685-1749), chanoinesse relevée de ses vœux, mère de D'Alembert qu'elle abandonna sur les marches de Saint-Gervais (voir la note 4, p. 53), excellente romancière, avait tenu l'un des plus importants salons du XVIIIe siècle, où fréquentaient Fontenelle, Montesquieu, Marivaux, Helvétius. Elle appelait les fidèles de sa « ménagerie » ses « bêtes »... **5.** Pierre Guérin, cardinal de Tencin (1679-1758), son frère, protégé de Fleury, féru comme la marquise d'intrigues politiques, a eu pour secrétaire l'abbé Trublet (voir la note 1, p. 32).

choses que d'en exécuter de petites. Alors l'âme s'élève ; l'imagination s'échauffe, s'enflamme et s'étend ; au lieu qu'elle se rétrécit à s'étonner auprès de la petite Hus [1] des applaudissements que ce sot public s'obstine à prodiguer à cette minaudière de Dangeville [2], qui joue si platement, qui marche presque courbée en deux sur la scène, qui a l'affectation de regarder sans cesse dans les yeux de celui à qui elle parle, et de jouer en dessous, et qui prend elle-même ses grimaces pour de la finesse, son petit trotter pour de la grâce ; à cette emphatique Clairon [3] qui est plus maigre, plus apprêtée, plus étudiée, plus empesée qu'on ne saurait dire. Cet imbécile parterre les claque [4] à tout rompre, et ne s'aperçoit pas que nous sommes un peloton d'agréments ; il est vrai que le peloton grossit un peu ; mais qu'importe ? que nous avons la plus belle peau ; les plus beaux yeux, le plus joli bec ; peu d'entrailles [5] à la vérité ; une démarche qui n'est pas légère, mais qui n'est pas non plus aussi gauche qu'on le dit. Pour le sentiment, en revanche, il n'y en a aucune à qui nous ne damions le pion.

MOI. — Comment dites-vous tout cela ? Est-ce ironie, ou vérité ?

LUI. — Le mal est que ce diable de sentiment est tout en dedans, et qu'il n'en transpire pas une lueur au-dehors. Mais moi qui vous parle, je sais et je sais bien

---

1. La petite Hus : enfin nommée... **2.** Anne-Marie Botot, dite la Dangeville (1714-1796), passait pour « l'artiste la plus parfaite qui ait jamais paru sur la scène française ». Sage et talentueuse, elle prit sa retraite de la Comédie-Française en 1763. Le Neveu parle d'elle ici au présent. **3.** La Clairon. Voir la note 2, p. 23. **4.** À titre d'exemple, lors de la reprise du *Comte d'Essex* en 1762, le public acclama Mlle Clairon et conspua Mlle Hus. *Claquer* peut s'employer de manière transitive, au sens d'« applaudir quelqu'un », de « faire la claque en faveur d'un acteur ou d'un personnage célèbre », ainsi que le précise L.-S. Mercier dans son *Tableau de Paris* (1783-1788). **5.** Le mot appartient au vocabulaire de la critique théâtrale. « On dit d'un *acteur* qu'il a des *entrailles*, pour dire qu'il s'affecte de son rôle, et le rend avec chaleur et vérité » (*Féraud*). On jugera au persiflage du Neveu en quel sens, où et comment Mlle Hus manifeste du sentiment, de la chaleur et de la vérité...

qu'elle en a. Si ce n'est pas cela précisément, c'est quelque chose comme cela. Il faut voir, quand l'humeur nous prend, comme nous traitons les valets, comme les femmes de chambre sont souffletées, comme nous menons à grands coups de pied les parties casuelles[1], pour peu qu'elles s'écartent du respect qui nous est dû. C'est un petit diable, vous dis-je, tout plein de sentiment et de dignité... Oh, çà ; vous ne savez où vous en êtes, n'est-ce pas ?

MOI. — J'avoue que je ne saurais démêler si c'est de bonne foi ou méchamment que vous parlez. Je suis un bon homme ; ayez la bonté d'en user avec moi plus rondement ; et de laisser là votre art.

LUI. — Cela, c'est ce que nous débitons à la petite Hus, de la Dangeville et de la Clairon, mêlé par-ci par-là de quelques mots qui vous donnassent[2] l'éveil. Je consens que vous me preniez pour un vaurien ; mais non pour un sot ; et il n'y aurait qu'un sot ou un homme perdu d'amour qui pût dire sérieusement tant d'impertinences[3].

MOI. — Mais comment se résout-on à les dire ?

LUI. — Cela ne se fait pas tout d'un coup ; mais petit à petit, on y vient. *Ingenii largitor venter*[4].

MOI. — Il faut être pressé d'une cruelle faim.

LUI. — Cela se peut. Cependant quelque fortes

---

1. C'étaient les droits qui revenaient au roi pour les charges de judicature et de finance, quand elles changeaient de titulaire. Bertin en était le gestionnaire (voir la note 3, p. 55). La plaisanterie rabelaisienne sera encore plus plaisamment soulignée plus loin. **2.** Dans la langue classique, l'imparfait du subjonctif après un verbe principal au présent renforce la valeur d'hypothèse ou de finalité : « mêlé par-ci par-là de quelques mots *de nature à vous alerter* ». Même chose, à la suite d'un « conditionnel présent » (en fait un hypothétique réalisable) pour la phrase suivante : « il n'y aurait qu'un sot qui *pût* [*susceptible de*] dire... ». **3.** Au sens classique, le terme signifie déjà, comme aujourd'hui, « insolences », mais le plus souvent, et plus fondamentalement, « propos dénués de pertinence, sottises ». L'adjectif *impertinent* est utilisé en ce sens une page plus bas. **4.** Cette expression librement empruntée à Perse (Prologue des *Satires*) et reprise par Rabelais (*Quart Livre*) signifie « le ventre, pourvoyeur du génie ».

qu'elles vous paraissent, croyez que ceux à qui elles s'adressent sont plutôt accoutumés à les entendre que nous à les hasarder.

MOI. — Est-ce qu'il y a là quelqu'un qui ait le courage d'être de votre avis ?

LUI. — Qu'appelez-vous quelqu'un ? C'est le sentiment et le langage de toute la société.

MOI. — Ceux d'entre vous qui ne sont pas de grands vauriens, doivent être de grands sots.

LUI. — Des sots là ? Je vous jure qu'il n'y en a qu'un ; c'est celui qui nous fête, pour lui en imposer[1].

MOI. — Mais comment s'en laisse-t-on si grossièrement imposer ? car enfin la supériorité des talents de la Dangeville et de la Clairon est décidée.

LUI. — On avale à pleine gorgée le mensonge qui nous flatte ; et l'on boit goutte à goutte une vérité qui nous est amère. Et puis nous avons l'air si pénétré, si vrai !

MOI. — Il faut cependant que vous ayez péché une fois contre les principes de l'art et qu'il vous soit échappé par mégarde quelques-unes de ces vérités amères qui blessent ; car en dépit du rôle misérable, abject, vil, abominable que vous faites, je crois qu'au fond, vous avez l'âme délicate.

LUI. — Moi, point du tout. Que le diable m'emporte si je sais au fond ce que je suis. En général, j'ai l'esprit rond comme une boule, et le caractère franc[2] comme l'osier ; jamais faux, pour peu que j'aie intérêt d'être vrai ; jamais vrai pour peu que j'aie intérêt d'être faux. Je dis les choses comme elles me viennent ; sensées, tant mieux ; impertinentes, on n'y prend pas garde. J'use en plein de mon franc-parler. Je n'ai pensé de ma

---

1. *Pour lui en imposer* : il faut comprendre que le seul sot, celui qui nous fête (le maître de maison), l'est *pour se laisser tromper* par tous les autres, qui *lui en imposent*. **2.** « *Franc comme osier*, est une manière de parler proverbiale et familière, pour dire un homme très sincère, qui parle et agit sincèrement » (*Trévoux*). Selon Furetière, « on dit proverbialement qu'un homme est *franc* comme l'osier quand il est sincère, pliant, accommodant ». Sincère, donc, l'osier, et pourtant ployable en tous sens ?

vie ni avant que de dire, ni en disant, ni après avoir dit. Aussi je n'offense personne.

MOI. — Cela vous est pourtant arrivé avec les honnêtes gens chez qui vous viviez, et qui avaient pour vous tant de bontés.

LUI. — Que voulez-vous ? C'est un malheur ; un mauvais moment, comme il y en a dans la vie. Point de félicité continue ; j'étais trop bien, cela ne pouvait durer. Nous avons, comme vous savez, la compagnie la plus nombreuse et la mieux choisie. C'est une école d'humanité ; le renouvellement de l'antique hospitalité. Tous les poètes qui tombent, nous les ramassons. Nous eûmes Palissot après sa *Zara* [1] ; Bret, après *Le Faux généreux* [2] ; tous les musiciens décriés ; tous les auteurs qu'on ne lit point ; toutes les actrices sifflées ; tous les acteurs hués ; un tas de pauvres honteux, plats parasites à la tête desquels j'ai l'honneur d'être, brave chef d'une troupe timide [3]. C'est moi qui les exhorte à manger la première fois qu'ils viennent ; c'est moi qui demande à boire pour eux. Ils tiennent si peu de place ! quelques jeunes gens déguenillés qui ne savent où donner de la tête, mais qui ont de la figure [4], d'autres scélérats qui cajolent le patron et qui l'endorment, afin de glaner après lui sur la patronne. Nous paraissons gais ; mais au fond nous avons tous de l'humeur et grand appétit. Des loups ne sont pas plus affamés ; des tigres

---

1. *Zarès*, comédie de Palissot, représentée et tombée à la Comédie-Française en 1751. **2.** *L'Orpheline ou le Faux Généreux*, d'Antoine Bret (1717-1792), auteur de pièces sans succès, qui fut à partir de 1775 directeur de *La Gazette de France*, journal hostile aux philosophes. H. Coulet explique que si Diderot a eu des mots aimables pour la pièce de Bret dans son traité *De la poésie dramatique* (1758), c'est que *Le Faux Généreux* est exactement contemporain du *Père de famille* (ainsi que de ce traité qui l'accompagne), et que leurs intrigues se ressemblaient sur un point. Peut-être même y avait-il entre les deux auteurs des points de vue communs. Diderot a ménagé Bret qui lui avait demandé de changer son plan, ce qu'il avait courtoisement refusé. Selon P. Vernière, la pièce de Bret fut retirée après la cinquième représentation « pour des raisons politiques ». **3.** Au sens classique, proche de l'étymologie, *timide* signifie « craintive ». **4.** Voir la note 1, p. 79.

ne sont pas plus cruels. Nous dévorons comme des loups, lorsque la terre a été longtemps couverte de neige ; nous déchirons comme des tigres, tout ce qui réussit. Quelquefois, les cohues[1] Bertin, Montsauge et Villemorien[2] se réunissent ; c'est alors qu'il se fait un beau bruit dans la ménagerie[3]. Jamais on ne vit ensemble tant de bêtes tristes, acariâtres, malfaisantes et courroucées. On n'entend que les noms de Buffon, de Duclos[4], de Montesquieu, de Rousseau, de Voltaire, de D'Alembert, de Diderot, et Dieu sait de quelles épithètes ils sont accompagnés. Nul n'aura de l'esprit, s'il n'est aussi sot que nous[5]. C'est là que le plan de la comédie des *Philosophes*[6] a été conçu ; la scène du colporteur[7], c'est moi qui l'ai fournie, d'après *La*

---

1. « Se dit figurément des assemblées tumultuaires où il n'y a point d'ordre, où chacun parle en confusion » (*Trévoux*). **2.** Bertin, voir la note 3, p. 55. Montsauge et Villemorien étaient l'un et l'autre des gendres et des associés de Bouret (voir la note 2, p. 76). Sur Villemorien, voir la note 5, p. 62. Denis Philippe Thiroux de Montsauge, comme Villemorien, avait, selon Collé, chaleureusement soutenu la comédie des *Philosophes* (voir les notes 5 et 6, ci-dessous). **3.** La métaphore des « animaux », ou des « bêtes », centrale dans la *Satire seconde*, se trouve également dans la *Satire première*. **4.** Duclos : voir la note 1, p. 32. La liste des philosophes, Rousseau inclus, montre bien où passe dans la satire, par-delà les années, l'opposition des « partis ». **5.** « Nul n'aura de l'esprit hors nous et nos amis », lit-on dans *Les Femmes savantes*, III, 2. Ce n'est pas la première formule qui, dans la satire, rappelle Molière (très goûté par Diderot). Comme la pièce de Palissot reprenait explicitement le canevas des *Femmes savantes*, Diderot renvoie la plaisanterie à son détracteur, lequel, avec Fréron, l'a à la même époque accusé d'avoir avec *Le Fils naturel* plagié *Il vero amico* de Goldoni. **6.** *Les Philosophes* : voir notamment la note 4, p. 35. Cette comédie de Palissot, jouée pour la première fois le 2 mai 1760, devant près de quinze cents spectateurs, eut quatorze représentations de suite, ce qui pour l'époque est un grand succès. En proie à des difficultés de tous genres, Diderot refusa de répondre, mais il fut très mortifié, d'autant qu'il était, sous le nom de Dortidius, auteur ampoulé, prétentieux, froidement enthousiaste, dangereux pour la religion, la famille (!), la patrie et les mœurs, le plus violemment attaqué des philosophes. **7.** Dans la scène du colporteur (III, 6), M. Propice vient vendre à Cydalise, la femme savante entichée des philosophes chez qui ils se réunissent, des ouvrages surtout de Diderot, mais aussi de Rousseau, Duclos (ou Toussaint) et Grimm. Dire que Diderot n'est « pas épargné là plus qu'un autre » est un euphémisme : il est de loin le plus visé.

Théologie en quenouille[1]. Vous n'êtes pas épargné là plus qu'un autre.

MOI. — Tant mieux. Peut-être me fait-on plus d'honneur que je n'en mérite. Je serais humilié, si ceux qui disent du mal de tant d'habiles[2] et honnêtes gens, s'avisaient de dire du bien de moi.

LUI. — Nous sommes beaucoup, et il faut que chacun paye son écot. Après le sacrifice des grands animaux, nous immolons les autres.

MOI. — Insulter la science et la vertu pour vivre, voilà du pain bien cher.

LUI. — Je vous l'ai déjà dit, nous sommes sans conséquence. Nous injurions tout le monde, et nous n'affligeons[3] personne. Nous avons quelquefois le pesant abbé d'Olivet[4], le gros abbé Le Blanc[5], l'hypocrite Batteux[6]. Le gros abbé n'est méchant qu'avant dîner. Son café pris, il se jette dans un fauteuil, les pieds appuyés contre la tablette de la cheminée, et s'endort comme un vieux perroquet sur son bâton. Si le vacarme devient violent, il bâille ; il étend ses bras ; il frotte ses yeux, et dit : Hé bien, qu'est-ce ? qu'est-ce ? — Il s'agit de savoir si Piron[7] a plus d'esprit que de Voltaire. — Entendons-nous. C'est de l'esprit que

---

1. *La Femme Docteur ou la Théologie janséniste tombée en quenouille* est une comédie satirique du père Bougeant, jésuite (1731), où étaient raillées des œuvres jansénistes. Là encore, l'accusation de plagiat est renvoyée par la bande à Palissot. **2.** Voir la note 1, p. 49. **3.** *Affligeons* : au sens du latin *affligere*, « mettre à mal ». **4.** Pour l'abbé d'Olivet, voir la note 1, p. 32. « Écrivain exact, froid et lourd », écrit de lui Grimm. **5.** Jean-Bernard, abbé Le Blanc (1707-1781), historiographe des monuments du roi, traducteur d'ouvrages anglais et auteur avant Diderot de comptes rendus de Salons. Antiphilosophe, protégé de « basse » origine de Mme de Pompadour, il ne put entrer à l'Académie. **6.** Charles, abbé Batteux (1713-1780), professeur au Collège de France, académicien, auteur des *Beaux-Arts réduits à un même principe* (1745) et du *Cours de Belles-Lettres distribué par exercices* (1747-1748) que Diderot a critiqués mais utilisés dans l'article BEAU et la *Lettre sur les sourds et muets*. Il était lié d'amitié avec l'abbé d'Olivet. **7.** Alexis Piron (1689-1773), auteur de *La Métromanie* (1738), peu prisé par les philosophes, était célèbre pour ses épigrammes. Voltaire rivalisa avec et contre lui.

vous dites ? il ne s'agit pas de goût ; car du goût, votre Piron ne s'en doute pas. — Ne s'en doute pas ? — Non... Et puis nous voilà embarqués dans une dissertation sur le goût. Alors le patron fait signe de la main qu'on l'écoute ; car c'est surtout de goût qu'il se pique. Le goût [1], dit-il,... le goût est une chose... Ma foi, je ne sais quelle chose il disait que c'était ; ni lui, non plus.

Nous avons quelquefois l'ami Robbé [2]. Il nous régale de ses contes cyniques, des miracles des convulsionnaires [3] dont il a été le témoin oculaire ; et de quelques chants de son poème sur un sujet qu'il connaît à fond [4]. Je hais ses vers ; mais j'aime à l'entendre réciter. Il a l'air d'un énergumène [5]. Tous s'écrient autour de lui : Voilà ce qu'on appelle un poète. Entre nous, cette poésie-là n'est qu'un charivari de toutes sortes de bruits confus ; le ramage barbare des habitants de la tour de Babel.

Il nous vient aussi un certain niais [6] qui a l'air plat et bête, mais qui a de l'esprit comme un démon et qui est plus malin qu'un vieux singe ; c'est une de ces figures qui appellent la plaisanterie et les nasardes, et que Dieu fit pour la correction des gens qui jugent à la

---

1. Question fort discutée à la fin des années cinquante. Au fameux article GOÛT de l'*Encyclopédie* (paru en 1757) avaient notamment collaboré Montesquieu et Voltaire. **2.** Robbé (voir la note 4, p. 39) s'était fait dévot et même janséniste convulsionnaire en 1762 (voir la note suivante). **3.** « Secte fanatique qui a paru dans notre siècle, qui existe encore, et qui a commencé au tombeau de M. Pâris » (*Encyclopédie*). Sur fond de querelle *Unigenitus* et de conflit larvé avec le Parlement (voir la note 2, p. 34), les convulsionnaires s'assemblèrent en foule entre 1727 et 1732 sur la tombe du diacre Pâris, au cimetière de Saint-Médard, où se déroulèrent des scènes d'hystérie collective, convulsions, flagellations, miracles. Fleury fit fermer le cimetière, mais des manifestations d'autoviolence continuèrent en privé par la suite, alors que prospérait le jansénisme politico-populaire. **4.** Rappelons que Robbé avait composé un poème sur la vérole. **5.** *Énergumène* : au sens étymologique, « celui en qui l'esprit s'agite », le mot a encore au XVIIIe siècle son sens théologique : « une personne possédée du démon, ou tourmentée par le malin esprit » (*Encyclopédie*). **6.** Les spécialistes ne savent trop de qui il s'agit. Est-ce l'abbé de Voisenon ?

mine, et à qui leur miroir aurait dû apprendre qu'il est aussi aisé d'être un homme d'esprit et d'avoir l'air d'un sot que de cacher un sot sous une physionomie spirituelle. C'est une lâcheté bien commune que celle d'immoler un bon homme[1] à l'amusement des autres. On ne manque jamais de s'adresser à celui-ci. C'est un piège que nous tendons aux nouveaux venus, et je n'en ai presque pas vu un seul qui n'y donnât.

J'étais quelquefois surpris de la justesse des observations de ce fou, sur les hommes et sur les caractères ; et je le lui témoignai.

C'est, me répondit-il, qu'on tire parti de la mauvaise compagnie, comme du libertinage[2]. On est dédommagé de la perte de son innocence, par celle de ses préjugés. Dans la société des méchants, où le vice se montre à masque levé, on apprend à les connaître ; et puis j'ai un peu lu.

MOI. — Qu'avez-vous lu ?

LUI. — J'ai lu et je lis et relis sans cesse Théophraste, La Bruyère[3] et Molière.

MOI. — Ce sont d'excellents livres.

LUI. — Ils sont bien meilleurs qu'on ne pense ; mais qui est-ce qui sait les lire ?

MOI. — Tout le monde, selon la mesure de son esprit.

LUI. — Presque personne. Pourriez-vous me dire ce qu'on y cherche ?

MOI. — L'amusement et l'instruction.

LUI. — Mais quelle instruction ; car c'est là le point ?

MOI. — La connaissance de ses devoirs ; l'amour de la vertu ; la haine du vice.

LUI. — Moi, j'y recueille tout ce qu'il faut faire, et tout ce qu'il ne faut pas dire. Ainsi quand je lis *L'Avare*, je me dis : sois avare, si tu veux ; mais garde-toi de parler

---

1. *Bon homme* ou *bonhomme*, voir la note 4, p. 29. **2.** Voir la note 1, p. 18. **3.** Les *Caractères* de La Bruyère étaient repris explicitement du moraliste grec Théophraste.

comme l'avare. Quand je lis le *Tartuffe*, je me dis : sois hypocrite, si tu veux ; mais ne parle pas comme l'hypocrite[1]. Garde des vices qui te sont utiles ; mais n'en aie ni le ton ni les apparences qui te rendraient ridicule. Pour se garantir de ce ton, de ces apparences, il faut les connaître ; or ces auteurs en ont fait des peintures excellentes. Je suis moi et je reste ce que je suis ; mais j'agis et je parle comme il convient. Je ne suis pas de ces gens qui méprisent les moralistes. Il y a beaucoup à profiter, surtout en ceux qui ont mis la morale en action. Le vice ne blesse les hommes que par intervalle. Les caractères apparents du vice les blessent du matin au soir. Peut-être vaudrait-il mieux être un insolent que d'en avoir la physionomie ; l'insolent de caractère n'insulte que de temps en temps ; l'insolent de physionomie insulte toujours. Au reste, n'allez pas imaginer que je sois le seul lecteur de mon espèce. Je n'ai d'autre mérite ici, que d'avoir fait par système, par justesse d'esprit, par une vue raisonnable et vraie, ce que la plupart des autres font par instinct. De là vient que leurs lectures ne les rendent pas meilleurs que moi ; mais qu'ils restent ridicules, en dépit d'eux ; au lieu que je ne le suis que quand je veux, et que je les laisse alors loin derrière moi ; car le même art qui m'apprend à me sauver du ridicule en certaines occasions, m'apprend aussi dans d'autres à l'attraper supérieurement. Je me rappelle alors tout ce que les autres ont dit, tout ce que j'ai lu, et j'y ajoute tout ce qui sort de mon fonds qui est en ce genre d'une fécondité surprenante.

MOI. — Vous avez bien fait de me révéler ces mystères ; sans quoi, je vous aurais cru en contradiction.

LUI. — Je n'y suis point ; car pour une fois où il faut éviter le ridicule ; heureusement, il y en a cent où il faut s'en donner. Il n'y a point de meilleur rôle

---

1. La *Correspondance littéraire* de Grimm, à laquelle Diderot a largement collaboré, rappelle à la date du 1er septembre 1766 que « le Rameau fou a, comme vous voyez, quelquefois des saillies plaisantes et singulières. On lui trouva un jour un Molière dans sa poche, et on lui demanda ce qu'il en faisait : J'y apprends, répondit-il, ce qu'il ne faut pas dire, mais ce qu'il faut faire ».

auprès des grands que celui de fou. Longtemps il y a eu le fou du roi en titre[1] ; en aucun, il n'y a eu en titre le sage du roi. Moi je suis le fou de Bertin et de beaucoup d'autres, le vôtre peut-être dans ce moment ; ou peut-être vous, le mien. Celui qui serait sage n'aurait point de fou. Celui donc qui a un fou n'est pas sage ; s'il n'est pas sage, il est fou ; et peut-être, fût-il roi, le fou de son fou. Au reste, souvenez-vous que dans un sujet aussi variable que les mœurs, il n'y a d'absolument, d'essentiellement, de généralement vrai ou faux, sinon[2] qu'il faut être ce que l'intérêt veut qu'on soit ; bon ou mauvais ; sage ou fou ; décent ou ridicule ; honnête ou vicieux. Si par hasard la vertu avait conduit à la fortune ; ou j'aurais été vertueux ou j'aurais simulé la vertu comme un autre. On m'a voulu ridicule, et je me le suis fait ; pour vicieux, nature seule en avait fait les frais. Quand je dis vicieux, c'est pour parler votre langue ; car si nous venions à nous expliquer, il pourrait arriver que vous appelassiez vice ce que j'appelle vertu, et vertu ce que j'appelle vice.

Nous avons aussi les auteurs de l'Opéra-Comique, leurs acteurs, et leurs actrices ; et plus souvent leurs entrepreneurs Corby, Moette,...   , tous gens de ressource et d'un mérite supérieur[3] !

Et j'oubliais les grands critiques de la littérature :

---

1. Après la publication de *La Nouvelle Raméide*, dérisoire « épopée » où, au nom de Jean-François Rameau, est contée sa vie, la *Correspondance littéraire* du 15 juin 1766 remarque que l'auteur « propose pour alternative de rétablir en sa faveur la charge de bouffon de la cour. Il montre très philosophiquement dans son poème combien on a eu tort d'abolir ces places, de les faire exercer par des gens qui n'en portent pas le titre et qui n'en portent pas la livrée ». **2.** *Sinon*, à l'époque, n'est pas nécessairement précédé par *rien*. **3.** L'Opéra-Comique (Théâtre de la Foire auquel s'était adjoint en 1759 le Théâtre des Boulevards), en pleine prospérité, avait absorbé en 1762 la Comédie-Italienne, qui avait besoin d'être renflouée. À Nicolas Corby et Pierre Moette fut alors associé Dehesse. Un espace laissé en blanc dans le manuscrit peut suggérer ce dernier nom, à moins qu'il ne s'agît de celui de Favart, directeur à partir de 1762. En outre, comme le dit H. Coulet, les auteurs de l'Opéra-Comique, Lesage, Piron, Favart, Sedaine, ne méritaient pas le mépris.

L'Avant-coureur ; Les Petites affiches, L'Année littéraire, L'Observateur littéraire, Le Censeur hebdomadaire, toute la ligne des feuillistes[1].

MOI. — *L'Année littéraire ; L'Observateur littéraire.* Cela ne se peut. Ils se détestent[2].

LUI. — Il est vrai. Mais tous les gueux[3] se réconcilient à la gamelle. Ce maudit *Observateur littéraire.* Que le diable l'eût emporté, lui et ses feuilles : c'est ce chien de petit prêtre avare, puant et usurier[4] qui est la cause de mon désastre. Il parut sur notre horizon, hier, pour la première fois. Il arriva à l'heure qui nous chasse tous de nos repaires, l'heure du dîner[5]. Quand il fait mauvais temps, heureux celui d'entre nous qui a la pièce de vingt-quatre sols dans sa poche[6]. Tel s'est moqué de son confrère qui était arrivé le matin crotté jusqu'à l'échine et mouillé jusqu'aux os, qui le soir rentre chez lui dans le même état. Il y en eut un, je ne sais plus lequel, qui eut, il y a quelques mois, un démêlé violent avec le Savoyard[7] qui s'est établi à notre porte. Ils étaient en compte courant ; le créancier voulait que son débiteur se liquidât, et celui-ci n'était pas en fonds. On sert ; on fait les honneurs de la table à l'abbé, on le place au haut bout. J'entre, je l'aperçois. Comment, l'abbé, lui dis-je, vous présidez ? voilà qui est fort bien pour aujourd'hui ; mais demain, vous descendrez, s'il vous plaît, d'une assiette ; après-demain, d'une autre assiette ; et ainsi d'assiette en assiette, soit

---

1. LUI cite les périodiques de l'époque qui, sauf *Le Journal encyclopédique*, étaient hostiles aux philosophes. Les principaux *feuillistes*, ou journalistes, sont l'abbé Aubert, anti-encyclopédiste soutenu par la cour (pour *Les Petites Affiches*), E. Fréron, adversaire déclaré (pour *L'Année littéraire*), l'abbé de La Porte, bien plus mitigé (pour *L'Observateur littéraire*), et Abraham Chaumeix, janséniste, ennemi violent (pour *Le Censeur hebdomadaire*). Diderot, peu soucieux d'ordre chronologique, ne s'en tient pas à une stricte vraisemblance historique. **2.** Pour son hostilité avec Fréron, voir la note 3, p. 36. L'abbé a fluctué au gré des circonstances. **3.** Pour *gueux*, ici dans une formule saisissante, voir la note 2, p. 35. On retrouve régulièrement le terme. **4.** Le *chien de petit prêtre* est l'abbé de La Porte, réputé pour son avarice (voir la note 3, p. 35). **5.** Du déjeuner. **6.** Il faut sans doute entendre : « pour payer le fiacre ». Voir la note 1, p. 20. **7.** Ce décrotteur est le Savoyard.

à droite, soit à gauche, jusqu'à ce que de la place que j'ai occupée une fois avant vous, Fréron[1] une fois après moi, Dorat une fois après Fréron, Palissot une fois après Dorat[2], vous deveniez stationnaire, à côté de moi, pauvre plat bougre comme vous, qui *siedo sempre come un maestoso cazzo fra duoi coglioni*[3]. L'abbé, qui est bon diable et qui prend tout bien, se mit à rire. Mademoiselle, pénétrée de la vérité de mon observation et de la justesse de ma comparaison, se mit à rire ; tous ceux qui siégeaient à droite et à gauche de l'abbé et qu'il avait reculés d'un cran, se mirent à rire ; tout le monde rit, excepté monsieur qui se fâche et me tient des propos qui n'auraient rien signifié, si nous avions été seuls : Rameau, vous êtes un impertinent[4]. — Je le sais bien ; et c'est à cette condition que vous m'avez reçu. — Un faquin[5]. — Comme un autre. — Un gueux. — Est-ce que je serais ici, sans cela ? — Je vous ferai chasser. — Après dîner[6], je m'en irai de moi-même. — Je vous le conseille... On dîna ; je n'en perdis pas un coup de dent. Après avoir bien mangé, bu largement ; car après tout il n'en aurait été ni plus ni moins, messer Gaster[7] est un personnage contre lequel je n'ai jamais boudé ; je pris mon parti et je me disposais à m'en aller. J'avais engagé ma parole en présence de tant de monde qu'il fallait bien la tenir. Je fus un temps considérable à rôder dans l'appartement, cherchant ma canne et mon chapeau où ils n'étaient pas, et comptant toujours que le patron se répandrait dans un nouveau torrent d'injures ; que quelqu'un s'interposerait, et que nous finirions par nous raccommoder, à force de nous fâcher. Je tournais ; je tournais ; car moi je n'avais rien

---

1. Pour Fréron et Palissot, voir les notes 2, p. 36 et 4, p. 35. **2.** Claude-Joseph Dorat (1734-1780), poète et polygraphe, petit-maître sans talent vanté par Fréron et hostile aux philosophes. Grimm l'accuse d'avoir volé à Diderot le plan de son drame *Le Shérif*. **3.** L'obscénité se dit ici en italien : « moi qui siège toujours comme un vit majestueux entre deux couilles ». **4.** Voir la note 3, p. 81. **5.** *Faquin* et *gueux* sont associés. Voir la note 2, p. 35. **6.** Déjeuner. **7.** *Messer Gaster* : tel est le nom (latin et plaisant) de l'estomac chez l'amateur de Rabelais (*Quart Livre*) qu'est Diderot.

sur le cœur ; mais le patron, lui, plus sombre et plus noir que l'Apollon d'Homère, lorsqu'il décoche ses traits sur l'armée des Grecs [1], son bonnet une fois plus renfoncé que de coutume, se promenait en long et en large, le poing sous le menton. Mademoiselle s'approche de moi... Mais mademoiselle, qu'est-ce qu'il y a donc d'extraordinaire ? Ai-je été différent aujourd'hui de moi-même. — Je veux qu'il sorte. — Je sortirai, je ne lui ai point manqué. — Pardonnez-moi ; on invite monsieur l'abbé, et... — C'est lui qui s'est manqué à lui-même en invitant l'abbé, en me recevant et avec moi tant d'autres bélîtres [2] tels que moi. — Allons, mon petit Rameau ; il faut demander pardon à monsieur l'abbé. — Je n'ai que faire de son pardon... — Allons ; allons, tout cela s'apaisera... On me prend par la main, on m'entraîne vers le fauteuil de l'abbé ; j'étends les bras, je contemple l'abbé avec une espèce d'admiration, car qui est-ce qui a jamais demandé pardon à l'abbé ? L'abbé, lui dis-je ; l'abbé, tout ceci est bien ridicule, n'est-il pas vrai ?... Et puis je me mets à rire, et l'abbé aussi. Me voilà donc excusé de ce côté-là ; mais il fallait aborder l'autre, et ce que j'avais à lui dire était une autre paire de manches. Je ne sais plus trop comment je tournai mon excuse... Monsieur, voilà ce fou. — Il y a trop longtemps qu'il me fait souffrir ; je n'en veux plus entendre parler. — Il est fâché. — Oui, je suis très fâché. — Cela ne lui arrivera plus. — Qu'au premier faquin [3]... Je ne sais s'il était dans un de ces jours d'humeur où mademoiselle craint d'en approcher et n'ose le toucher qu'avec ses mitaines de velours, ou s'il entendit mal ce que je disais, ou si je dis mal ; ce fut pis qu'auparavant.

---

1. *Iliade*, chant I, vers 43-52. **2.** « Gueux qui mendie par fainéantise, et qui pourrait bien gagner sa vie. Il se dit quelquefois par extension des coquins qui n'ont ni bien ni honneur » (*Trévoux*). **3.** *Qu'au premier faquin...* : la coupe de cette réplique ne la rend pas parfaitement claire. S'agit-il, dans la bouche de Bertin, du premier faquin que rencontrera LUI et qui sera occasion de récidive (ironie), ou du premier faquin (LUI) auquel Bertin ne saurait pardonner (colère) ?

Que diable, est-ce qu'il ne me connaît pas ? Est-ce qu'il ne sait pas que je suis comme les enfants, et qu'il y a des circonstances où je laisse tout aller sous moi ? Et puis, je crois, Dieu me pardonne, que je n'aurais pas un moment de relâche. On userait un pantin d'acier à tirer la ficelle du matin au soir et du soir au matin. Il faut que je les désennuie ; c'est la condition ; mais il faut que je m'amuse quelquefois. Au milieu de cet imbroglio, il me passa par la tête une pensée funeste, une pensée qui me donna de la morgue, une pensée qui m'inspira de la fierté et de l'insolence : c'est qu'on ne pouvait se passer de moi, que j'étais un homme essentiel.

MOI. — Oui, je crois que vous leur êtes très utile, mais qu'ils vous le sont encore davantage. Vous ne retrouverez pas, quand vous voudrez, une aussi bonne maison ; mais eux, pour un fou qui leur manque, ils en retrouveront cent.

LUI. — Cent fous comme moi ! Monsieur le philosophe, ils ne sont pas si communs. Oui, des plats fous. On est plus difficile en sottise qu'en talent ou en vertu. Je suis rare dans mon espèce, oui, très rare. À présent qu'ils ne m'ont plus, que font-ils ? Ils s'ennuient comme des chiens. Je suis un sac inépuisable d'impertinences[1]. J'avais à chaque instant une boutade qui les faisait rire aux larmes, j'étais pour eux les Petites-Maisons[2] tout entières.

MOI. — Aussi vous aviez la table, le lit, l'habit, veste et culotte, les souliers, et la pistole par mois[3].

LUI. — Voilà le beau côté. Voilà le bénéfice ; mais les charges, vous n'en dites mot. D'abord, s'il était bruit d'une pièce nouvelle, quelque temps qu'il fît, il fallait fureter dans tous les greniers de Paris jusqu'à ce que j'en eusse trouvé l'auteur ; que je me procurasse la lecture de l'ouvrage, et que j'insinuasse adroitement qu'il y avait un rôle qui serait supérieurement rendu

---

1. Voir la note 3, p. 81. **2.** Voir la note 4, p. 71. **3.** *Donner la pistole* est l'équivalent de notre « donner la pièce ».

par quelqu'un de ma connaissance... Et par qui, s'il vous plaît ? — Par qui ? belle question ! Ce sont les grâces, la gentillesse, la finesse. — Vous voulez dire, Mlle Dangeville[1] ? Par hasard la connaîtriez-vous ? — Oui, un peu ; mais ce n'est pas elle. — Et qui donc ?... Je nommais tout bas... Elle ! — Oui, elle, répétais-je un peu honteux ; car j'ai quelquefois de la pudeur ; et à ce nom répété, il fallait voir comme la physionomie du poète s'allongeait, et d'autres fois comme on m'éclatait au nez. Cependant, bon gré, mal gré qu'il en eût, il fallait que j'amenasse mon homme à dîner ; et lui qui craignait de s'engager, rechignait, remerciait[2]. Il fallait voir comme j'étais traité, quand je ne réussissais pas dans ma négociation : j'étais un butor[3], un sot, un balourd, je n'étais bon à rien ; je ne valais pas le verre d'eau qu'on me donnait à boire. C'était bien pis lorsqu'on jouait, et qu'il fallait aller intrépidement, au milieu des huées d'un public qui juge bien, quoi qu'on en dise, faire entendre mes claquements de mains isolés ; attacher les regards sur moi ; quelquefois dérober les sifflets à l'actrice ; et ouïr chuchoter à côté de soi : C'est un des valets déguisés de celui qui couche ; ce maraud-là se taira-t-il ?... On ignore ce qui peut déterminer à cela, on croit que c'est ineptie, tandis que c'est un motif qui excuse tout.

MOI. — Jusqu'à l'infraction des lois civiles[4].

LUI. — À la fin cependant j'étais connu, et l'on disait : Oh ! c'est Rameau. Ma ressource était de jeter quelques mots ironiques qui sauvassent du ridicule mon applaudissement solitaire, qu'on interprétait à contresens. Convenez qu'il faut un puissant intérêt

---

1. Mlle Dangeville. Voir la note 2, p. 80. **2.** Refusait. **3.** Homme stupide, grossier, maladroit. Comme *faquin*, plus haut, comme *maraud*, quelques lignes plus loin, ce terme est méprisant et renvoie au monde dévalué des paysans ou domestiques. Il appartient au langage de la comédie. **4.** Lois de la vie en société, ou de la civilité.

pour braver ainsi le public assemblé, et que chacune de ces corvées valait mieux qu'un petit écu [1].

MOI. — Que ne vous faisiez-vous prêter main-forte ?

LUI. — Cela m'arrivait aussi, et je glanais un peu là-dessus. Avant que de se rendre au lieu du supplice, il fallait se charger la mémoire des endroits brillants, où il importait de donner le ton. S'il m'arrivait de les oublier et de me méprendre, j'en avais le tremblement à mon retour ; c'était un vacarme dont vous n'avez pas d'idée. Et puis à la maison une meute de chiens à soigner ; il est vrai que je m'étais sottement imposé cette tâche ; des chats dont j'avais la surintendance ; j'étais trop heureux si *Micou* me favorisait d'un coup de griffe qui déchirât ma manchette ou ma main. *Criquette* est sujette à la colique ; c'est moi qui lui frotte le ventre. Autrefois, mademoiselle avait des vapeurs ; ce sont aujourd'hui des nerfs. Je ne parle point d'autres indispositions légères dont on ne se gêne pas devant moi. Pour ceci, passe ; je n'ai jamais prétendu contraindre. J'ai lu, je ne sais où, qu'un prince surnommé le Grand restait quelquefois appuyé sur le dossier de la chaise percée de sa maîtresse [2]. On en use à son aise avec ses familiers, et j'en étais ces jours-là, plus que personne. Je suis l'apôtre de la familiarité et de l'aisance. Je les prêchais là d'exemple, sans qu'on s'en formalisât ; il n'y avait qu'à me laisser aller. Je vous ai ébauché le patron. Mademoiselle commence à devenir pesante ; il faut entendre les bons contes qu'ils en font.

MOI. — Vous n'êtes pas de ces gens-là ?

LUI. — Pourquoi non ?

MOI. — C'est qu'il est au moins indécent de donner des ridicules à ses bienfaiteurs.

LUI. — Mais n'est-ce pas pis encore de s'autoriser de ses bienfaits pour avilir son protégé ?

---

1. Le petit écu valait 3 francs, soit environ 90 de nos francs. **2.** Ce prince serait Louis XIV. Il ne semble pas que Diderot ait lu Saint-Simon, qui ne rapporte pas l'anecdote sous cette forme : le roi se penche vers la *chaise à porteurs* de Mme de Maintenon !

MOI. — Mais si le protégé n'était pas vil par lui-même, rien ne donnerait au protecteur cette autorité.

LUI. — Mais si les personnages n'étaient pas ridicules par eux-mêmes, on n'en ferait pas de bons contes. Et puis est-ce ma faute s'ils s'encanaillent ? Est-ce ma faute lorsqu'ils se sont encanaillés, si on les trahit, si on les bafoue ? Quand on se résout à vivre avec des gens comme nous, et qu'on a le sens commun, il y a je ne sais combien de noirceurs auxquelles il faut s'attendre. Quand on nous prend, ne nous connaît-on pas pour ce que nous sommes, pour des âmes intéressées, viles et perfides ? Si l'on nous connaît, tout est bien. Il y a un pacte tacite[1] qu'on nous fera du bien, et que tôt ou tard nous rendrons le mal pour le bien qu'on nous aura fait. Ce pacte ne subsiste-t-il pas entre l'homme et son singe ou son perroquet ? Brun[2] jette les hauts cris que Palissot[3], son convive et son ami, ait fait des couplets contre lui. Palissot a dû faire les couplets, et c'est Brun qui a tort. Poinsinet jette les hauts cris que Palissot ait mis sur son compte les couplets qu'il avait faits contre Brun. Palissot a dû mettre sur le compte de Poinsinet les couplets qu'il avait faits contre Brun, et c'est Poinsinet qui a tort. Le petit abbé

---

1. La théorie développée par LUI du « pacte tacite », empruntée à Hobbes, est évidemment de part en part ironique, et ne renvoie pas à la position de Diderot. Comme celui-ci le dit dans l'article HOBBISME, le pacte tacite fondé sur la violence et la crainte caractérise selon le philosophe anglais l'état de nature. Ici, la référence à l'animalité, combinée à la théorie du pacte appliquée à la société (ce qui la rend doublement inopérante), accentue encore le cynisme dénonciateur du thème de la ménagerie burlesque et ridicule. **2.** On ne sait trop qui était Brun : Jean-Étienne Le Brun de Granville, ou son frère dit Lebrun-Pindare, auteur des *Odes*, tous deux ennemis de Fréron ? **3.** Tout ce passage tourne autour de Palissot, qui est bien la principale cible de la satire. Voir à son sujet la note 4, p. 35. Le défaut principal de Palissot, personnage odieux, serait l'ingratitude, qu'explique son mépris de soi comme d'autrui. C'est ce que dit également le compte rendu que Diderot a donné de *L'Homme dangereux* pour la *Correspondance littéraire*.

Rey[1] jette les hauts cris de ce que son ami Palissot lui a soufflé sa maîtresse auprès de laquelle il l'avait introduit. C'est qu'il ne fallait point introduire un Palissot chez sa maîtresse, ou se résoudre à la perdre. Palissot a fait son devoir ; et c'est l'abbé Rey qui a tort. Le libraire David[2] jette les hauts cris de ce que son associé Palissot a couché ou voulu coucher avec sa femme ; la femme du libraire David jette les hauts cris de ce que Palissot a laissé croire à qui l'a voulu qu'il avait couché avec elle ; que Palissot ait couché ou non avec la femme du libraire, ce qui est difficile à décider, car la femme a dû nier ce qui était, et Palissot a pu laisser croire ce qui n'était pas. Quoi qu'il en soit, Palissot a fait son rôle et c'est David et sa femme qui ont tort. Qu'Helvétius[3] jette les hauts cris que Palissot le traduise sur la scène comme un malhonnête homme, lui à qui il doit encore l'argent qu'il lui prêta pour se faire traiter de la mauvaise santé, se nourrir et se vêtir. A-t-il dû se promettre un autre procédé, de la part d'un homme souillé de toutes sortes d'infamies, qui par passe-temps fait abjurer la religion à son ami[4] ; qui s'empare du bien de ses associés ; qui n'a ni foi, ni loi, ni sentiment ; qui court à la fortune, *per fas et nefas*[5] ;

---

1. Cet abbé Rey est-il l'auteur des *Considérations philosophiques sur le christianisme* ? **2.** Michel Antoine David dit l'Aîné était l'un des quatre libraires-éditeurs de l'*Encyclopédie*. Il partageait avec Palissot le privilège des gazettes étrangères. **3.** Claude Adrien Helvétius (1715-1771), ancien fermier général (voir la note 483 : il démissionna pour se consacrer à la philosophie !), auteur de deux ouvrages appréciés par Diderot, qui a réfuté certaines de leurs thèses : *De l'esprit* (1758) et *De l'homme* (1772). Palissot se défendait d'avoir ridiculisé Helvétius, son ancien protecteur, dans sa comédie des *Philosophes*. Par « mauvaise santé » il faut entendre une maladie vénérienne. **4.** Il semble que LUI fasse allusion aux « mystifications » que Palissot, Fréron et quelques autres ont fait subir vers 1760 au très crédule Poinsinet le Jeune (voir à son sujet la note 1, p. 36). Selon Favart et Jean Monnet, il était prêt à abjurer le catholicisme pour devenir le précepteur luthérien d'un très improbable prince héritier de Prusse ! Il ne s'agit là, parmi bien d'autres, que de (mauvaises) plaisanteries. **5.** *Per fas et nefas* : par tous les moyens, en toutes circonstances, heureuses ou contraires.

qui compte ses jours par ses scélératesses ; et qui s'est traduit lui-même sur la scène, comme un des plus dangereux coquins[1], impudence dont je ne crois pas qu'il y ait eu dans le passé un premier exemple, ni qu'il y en ait un second dans l'avenir. Non. Ce n'est donc pas Palissot, mais c'est Helvétius qui a tort. Si l'on mène un jeune provincial à la ménagerie de Versailles, et qu'il s'avise par sottise, de passer la main à travers les barreaux de la loge du tigre ou de la panthère ; si le jeune homme laisse son bras dans la gueule de l'animal féroce ; qui est-ce qui a tort ? Tout cela est écrit dans le pacte tacite. Tant pis pour celui qui l'ignore ou l'oublie. Combien je justifierais par ce pacte universel et sacré, de gens qu'on accuse de méchanceté ; tandis que c'est soi qu'on devrait accuser de sottise. Oui, grosse comtesse[2] ; c'est vous qui avez tort, lorsque vous rassemblez autour de vous, ce qu'on appelle parmi les gens de votre sorte, des espèces, et que ces espèces vous font des vilenies, vous en font faire, et vous exposent au ressentiment des honnêtes gens. Les honnêtes gens font ce qu'ils doivent ; les espèces[3] aussi ; et c'est vous qui avez tort de les accueillir. Si Bertinhus[4] vivait doucement, paisiblement avec sa maîtresse ; si par l'honnêteté de leurs caractères, ils s'étaient fait des connaissances honnêtes ; s'ils avaient appelé autour d'eux des hommes à talents, des gens connus dans la société par leur vertu ; s'ils avaient réservé pour une petite compagnie éclairée et choisie, les heures de distraction qu'ils auraient dérobées à la douceur d'être ensemble, de s'aimer, de se le dire, dans le silence de la retraite ; croyez-vous qu'on en eût fait ni bons ni mauvais contes. Que leur est-il donc arrivé ? ce qu'ils

---

1. Dans *L'Homme dangereux*, refusé par les comédiens en 1770 et joué seulement en 1782. 2. La « grosse comtesse » est très probablement Mme de La Marck, protectrice de Palissot et des anti-philosophes. Voir la note 2, p. 42. 3. Ce terme péjoratif, alors usité dans la bonne société, comme l'atteste Duclos dans ses *Considérations sur les mœurs du temps*, chap. 5, s'oppose à l'« homme de considération », ou l'« honnête homme ». 4. *Bertinhus*. Ce jeu de mots semble avoir préexisté à Diderot. Mais c'est *Le Neveu* qui assure son succès par-delà les âges.

méritaient. Ils ont été punis de leur imprudence ; et c'est nous que la providence avait destinés de toute éternité à faire justice des Bertin du jour ; et ce sont nos pareils d'entre nos neveux qu'elle a destinés à faire justice des Montsauge et des Bertin [1] à venir. Mais tandis que nous exécutons ses justes décrets sur la sottise, vous qui nous peignez tels que nous sommes, vous exécutez ses justes décrets sur nous. Que penseriez-vous de nous, si nous prétendions avec des mœurs honteuses, jouir de la considération publique ? que nous sommes des insensés. Et ceux qui s'attendent à des procédés honnêtes, de la part des gens nés vicieux, de caractères vils et bas, sont-ils sages ? Tout a son vrai loyer dans ce monde. Il y a deux procureurs généraux, l'un à votre porte qui châtie les délits contre la société. La nature est l'autre. Celle-ci connaît de [2] tous les vices qui échappent au lois. Vous vous livrez à la débauche des femmes ; vous serez hydropique [3]. Vous êtes crapuleux [4] ; vous serez poumonique. Vous ouvrez votre porte à des marauds, et vous vivez avec eux ; vous serez trahis, persiflés, méprisés. Le plus court est de se résigner à l'équité de ces jugements ; et de se dire à soi-même, c'est bien fait, de secouer ses oreilles, et de s'amender ou de rester ce qu'on est, mais aux conditions susdites.

MOI. — Vous avez raison.

LUI. — Au demeurant, de ces mauvais contes, moi,

---

1. Des Montsauge et des Bertin. Voir les notes 3, p. 55 et 2, p. 84. **2.** *Connaître de*. Cette expression signifie : « est habilité à se prononcer juridiquement sur telle question », donc : « à trancher, à condamner ». Sur le fond, la question est de celles que Diderot a reprises, par exemple dans les *Mémoires pour Catherine II*, ou lorsqu'il conseille sa fille. Sur un autre aspect de la même question, voir la note 2, p. 67. **3.** *Hydropique*. « C'est une des maladies les plus considérables entre les affections chroniques » (*Encyclopédie*). L'imprécision du signalement rend difficile l'étiologie et la thérapeutique. Toute maladie liée à une production excessive d'*humeur* (voir la note 1, p. 25) relève de l'*hydropisie*. **4.** « Ce mot ne s'est appliqué d'abord qu'à la débauche habituelle de vin. On le dit aujourd'hui de toute débauche habituelle et excessive dans le manger, et principalement en matière d'amour » (*Trévoux*). Pour *débauche*, voir la note 1, p. 66.

je n'en invente aucun ; je m'en tiens au rôle de colporteur. Ils disent qu'il y a quelques jours, sur les cinq heures du matin, on entendit un vacarme enragé ; toutes les sonnettes étaient en branle ; c'étaient les cris interrompus et sourds d'un homme qui étouffe : À moi, moi, je suffoque ; je meurs. Ces cris partaient de l'appartement du patron. On arrive ; on le secourt. Notre grosse créature dont la tête était égarée, qui n'y était plus, qui ne voyait plus, comme il arrive dans ce moment, continuait de presser son mouvement, s'élevait sur ses deux mains, et du plus haut qu'elle pouvait laissait retomber sur les parties casuelles [1] un poids de deux à trois cents livres, animé de toute la vitesse que donne la fureur du plaisir. On eut beaucoup de peine à le dégager de là. Que diable de fantaisie [2] à un petit marteau de se placer sous une lourde enclume.

MOI. — Vous êtes un polisson. Parlons d'autre chose. Depuis que nous causons, j'ai une question sur la lèvre.

LUI. — Pourquoi l'avoir arrêtée là si longtemps ?

MOI. — C'est que j'ai craint qu'elle ne fût indiscrète.

LUI. — Après ce que je viens de vous révéler, j'ignore quel secret je puis avoir pour vous.

MOI. — Vous ne doutez pas du jugement que je porte de votre caractère.

LUI. — Nullement. Je suis à vos yeux un être très abject, très méprisable, et je le suis aussi quelquefois aux miens ; mais rarement. Je me félicite plus souvent de mes vices que je ne m'en blâme. Vous êtes plus constant dans votre mépris.

MOI. — Il est vrai : mais pourquoi me montrer toute votre turpitude ?

LUI. — D'abord, c'est que vous en connaissiez une bonne partie, et que je voyais plus à gagner qu'à perdre, à vous avouer le reste.

---

1. La plaisanterie rabelaisienne trouve ici sa forme la plus étonnante. Voir les notes 5, p. 41, 3, p. 55 et 1, p. 81. 2. L'expression est bizarre, mais compréhensible.

MOI. — Comment cela, s'il vous plaît ?

LUI. — S'il importe d'être sublime[1] en quelque genre, c'est surtout en mal. On crache sur un petit filou ; mais on ne peut refuser une sorte de considération à un grand criminel. Son courage vous étonne. Son atrocité vous fait frémir. On prise en tout l'unité de caractère[2].

MOI. — Mais cette estimable unité de caractère, vous ne l'avez pas encore. Je vous trouve de temps en temps vacillant dans vos principes. Il est incertain, si vous tenez votre méchanceté de la nature, ou de l'étude ; et si l'étude vous a porté aussi loin qu'il est possible.

LUI. — J'en conviens ; mais j'y ai fait de mon mieux. N'ai-je pas eu la modestie de reconnaître des êtres plus parfaits que moi ? Ne vous ai-je pas parlé de Bouret[3] avec l'admiration la plus profonde ? Bouret est le premier homme du monde dans mon esprit.

MOI. — Mais immédiatement après Bouret, c'est vous.

LUI. — Non.

MOI. — C'est donc Palissot ?

LUI. — C'est Palissot, mais ce n'est pas Palissot seul.

MOI. — Et qui peut être digne de partager le second rang avec lui ?

LUI. — Le renégat d'Avignon[4].

---

1. Voir la note 4, p. 22. **2.** Sur les deux questions, en partie liées, de la grandeur dans le mal, que Diderot reconnaît admirer davantage que la médiocrité, et de l'unité de caractère, voir parmi tant d'autres exemples la discussion autour du père Hudson dans *Jacques le Fataliste*. Diderot écrivain n'est pas aussi expéditif que le Neveu ! Son admiration pour l'*énergie* se mêle de réprobation et de révolte. **3.** Pour Bouret, voir la note 2, p. 76. Pour Palissot, voir la note 4, p. 35. **4.** Cette histoire « infâme » a été identifiée. Elle s'est réellement passée comme Diderot la raconte, mais non à Avignon, où l'Inquisition ne sévissait plus au XVIIIe siècle : à Lisbonne. Loin d'avoir renié sa religion *(renégat)*, le « héros » en était un carmélite, le père Mercenati, qui s'était livré à mainte escroquerie en Europe aux dépens des petits et des grands. Fortune faite, il se retira en Angleterre. Il mourut en 1747.

MOI. — Je n'ai jamais entendu parler de ce renégat d'Avignon ; mais ce doit être un homme bien étonnant.

LUI. — Aussi l'est-il.

MOI. — L'histoire des grands personnages m'a toujours intéressé.

LUI. — Je le crois bien. Celui-ci vivait chez un bon et honnête de ces descendants d'Abraham, promis au père des croyants, en nombre égal à celui des étoiles [1].

MOI. — Chez un juif.

LUI. — Chez un juif. Il en avait surpris d'abord la commisération [2], ensuite la bienveillance, enfin la confiance la plus entière. Car voilà comme il en arrive toujours. Nous comptons tellement sur nos bienfaits, qu'il est rare que nous cachions notre secret, à celui que nous avons comblé de nos bontés. Le moyen qu'il n'y ait pas des ingrats, quand nous exposons l'homme à la tentation de l'être impunément. C'est une réflexion juste que notre juif ne fit pas. Il confia donc au renégat qu'il ne pouvait en conscience manger du cochon. Vous allez voir tout le parti qu'un esprit fécond sut tirer de cet aveu. Quelques mois se passèrent pendant lesquels notre renégat redoubla d'attachement. Quand il crut son juif bien touché, bien captivé, bien convaincu par ses soins, qu'il n'avait pas un meilleur ami dans toutes les tribus d'Israël... Admirez la circonspection de cet homme. Il ne se hâte pas. Il laisse mûrir la poire, avant que de secouer la branche. Trop d'ardeur pouvait faire échouer son projet. C'est qu'ordinairement la grandeur de caractère résulte de la balance naturelle de plusieurs qualités opposées.

MOI. — Et laissez là vos réflexions, et continuez-moi votre histoire.

LUI. — Cela ne se peut. Il y a des jours où il faut que je réfléchisse. C'est une maladie qu'il faut abandonner à son cours. Où en étais-je [3] ?

---

1. *Genèse*, XV, 4-6. 2. *Surpris la commisération* : excité des sentiments de pitié en endormant toute méfiance. 3. Voir les notes 119, 432 et 463. Ici encore, le « rêve » est le signe d'un approfondissement de sa réflexion, que MOI expose aussitôt, et que LUI comprend non

MOI. — À l'intimité bien établie, entre le juif et le renégat.

LUI. — Alors la poire était mûre... mais vous ne m'écoutez pas. À quoi rêvez-vous ?

MOI. — Je rêve à l'inégalité de votre ton ; tantôt haut, tantôt bas.

LUI. — Est-ce que le ton de l'homme vicieux peut être un[1] ? Il arrive un soir chez son bon ami, l'air effaré, la voix entrecoupée, le visage pâle comme la mort, tremblant de tous ses membres... Qu'avez-vous ? — Nous sommes perdus. — Perdus, et comment ? — Perdus, vous dis-je ; perdus sans ressource. — Expliquez-vous. — ... Un moment, que je me remette de mon effroi. — Allons, remettez-vous, lui dit le juif ; au lieu de lui dire : tu es un fieffé fripon[2] ; je ne sais ce que tu as à m'apprendre, mais tu es un fieffé fripon ; tu joues la terreur.

MOI. — Et pourquoi devait-il lui parler ainsi ?

LUI. — C'est qu'il était faux, et qu'il avait passé la mesure. Cela est clair pour moi, et ne m'interrompez pas davantage... Nous sommes perdus, perdus sans ressource. Est-ce que vous ne sentez pas l'affectation de ces perdus répétés ? Un traître nous a déférés à la sainte Inquisition, vous comme juif, moi comme renégat, comme un infâme renégat. Voyez comme le traître ne rougit pas de se servir des expressions les plus odieuses. Il faut plus de courage qu'on ne pense pour s'appeler de son nom. Vous ne savez pas ce qu'il en coûte pour en venir là.

MOI. — Non certes. Mais cet infâme renégat...

LUI. — Est faux ; mais c'est une fausseté bien adroite. Le juif s'effraye, il s'arrache la barbe, il se roule à terre. Il voit les sbires à sa porte ; il se voit

---

moins vite. C'est un écart révélateur, non un délai inutile ou une digression anarchique.

1. L'homme vicieux ne peut pas plus se targuer d'*unité de caractère* (malgré les prétentions antérieures du Neveu) que le comédien sensible, inégal car voué aux inégalités de son diaphragme (*Paradoxe sur le comédien*). **2.** Voir la note 2, p. 37.

affublé du san-benito[1] ; il voit son autodafé[2] préparé... Mon ami, mon tendre ami, mon unique ami, quel parti prendre... — Quel parti ? de se montrer, d'affecter la plus grande sécurité, de se conduire comme à l'ordinaire. La procédure de ce tribunal est secrète, mais lente. Il faut user de ses délais pour tout vendre. J'irai louer ou je ferai louer un bâtiment par un tiers ; oui, par un tiers, ce sera le mieux. Nous y déposerons votre fortune ; car c'est à votre fortune principalement qu'ils en veulent ; et nous irons, vous et moi, chercher, sous un autre ciel, la liberté de servir notre Dieu et de suivre en sûreté la loi d'Abraham et de notre conscience. Le point important dans la circonstance périlleuse où nous nous trouvons, est de ne point faire d'imprudence. Fait et dit. Le bâtiment est loué et pourvu de vivres et de matelots. La fortune du juif est à bord. Demain, à la pointe du jour, ils mettent à la voile. Ils peuvent souper gaiement et dormir en sûreté. Demain, ils échappent à leurs persécuteurs. Pendant la nuit, le renégat se lève, dépouille le juif de son portefeuille, de sa bourse et de ses bijoux ; se rend à bord, et le voilà parti. Et vous croyez que c'est là tout ? Bon, vous n'y êtes pas. Lorsqu'on me raconta cette histoire, moi, je devinai ce que je vous ai tu, pour essayer votre sagacité. Vous avez bien fait d'être un honnête homme ; vous n'auriez été qu'un friponneau. Jusqu'ici le renégat n'est que cela. C'est un coquin méprisable à qui personne ne voudrait ressembler. Le sublime de sa méchanceté, c'est d'avoir été lui-même le délateur de son bon ami l'israélite,

---

1. *San-benito* : « C'est le nom qu'on donne vulgairement, en Espagne et au Portugal, à l'habit dont on revêt les hérétiques condamnés par l'Inquisition » (*Trévoux*). Les lecteurs de *Candide* en ont une description au chapitre 6, lors d'un *autodafé* à Lisbonne où Candide et Pangloss sont suppliciés pour leurs opinions. **2.** « Acte de foi. » « Dans les pays d'Inquisition en Espagne *auto da fe* est un jour solennel que l'Inquisition assigne pour la punition des hérétiques ou pour l'absolution des accusés reconnus innocents » (*Encyclopédie*). Les philosophes, au premier rang desquels Voltaire, luttèrent pour que disparaisse l'intolérance, mère de ces pratiques, jugées scandaleusement inhumaines, qui continuèrent pourtant au XVIIIe siècle au Portugal.

dont la sainte Inquisition s'empara à son réveil, et dont, quelques jours après, on fit un beau feu de joie. Et ce fut ainsi que le renégat devint tranquille possesseur de la fortune de ce descendant maudit de ceux qui ont crucifié Notre Seigneur.

MOI. — Je ne sais lequel des deux me fait le plus d'horreur, ou de la scélératesse de votre renégat, ou du ton dont vous en parlez.

LUI. — Et voilà ce que je vous disais. L'atrocité de l'action vous porte au-delà du mépris ; et c'est la raison de ma sincérité. J'ai voulu que vous connussiez jusqu'où j'excellais dans mon art ; vous arracher l'aveu que j'étais au moins original [1] dans mon avilissement, me placer dans votre tête sur la ligne des grands vauriens, et m'écrier ensuite, *Vivat Mascarillus, fourbum imperator !* Allons, gai, monsieur le philosophe ; chorus. *Vivat Mascarillus, fourbum imperator* [2] *!*

Et là-dessus, il se mit à faire un chant en fugue, tout à fait singulier. Tantôt la mélodie était grave et pleine de majesté ; tantôt légère et folâtre ; dans un instant il imitait la basse ; dans un autre, une des parties du dessus ; il m'indiquait de son bras et de son cou allongés, les endroits des tenues [3] ; et s'exécutait, se composait à lui-même, un chant de triomphe, où l'on voyait qu'il s'entendait mieux en bonne musique qu'en bonnes mœurs.

Je ne savais, moi, si je devais rester ou fuir, rire ou m'indigner. Je restai, dans le dessein de tourner la conversation sur quelque sujet qui chassât de mon âme l'horreur dont elle était remplie. Je commençais à supporter avec peine la présence d'un homme qui discutait une action horrible, un exécrable forfait, comme un connaisseur en peinture ou en poésie, examine les beautés d'un ouvrage de goût ; ou comme un moraliste

---

1. Voir la note 3, p. 20. **2.** « Vive Mascarille, l'empereur des fourbes ! » (Molière, *L'Étourdi*, II, 11). **3.** *Tenues*. « En termes de Musique, c'est une continuation d'un même ton sur une touche, tandis que les autres parties font d'autres accords » (*Trévoux*).

ou un historien relève et fait éclater les circonstances d'une action héroïque. Je devins sombre, malgré moi. Il s'en aperçut et me dit :

LUI. — Qu'avez-vous ? Est-ce que vous vous trouvez mal ?

MOI. — Un peu ; mais cela passera.

LUI. — Vous avez l'air soucieux d'un homme tracassé de quelque idée fâcheuse.

MOI. — C'est cela.

Après un moment de silence de sa part et de la mienne, pendant lequel il se promenait en sifflant et en chantant ; pour le ramener à son talent, je lui dis : que faites-vous à présent ?

LUI. — Rien.

MOI. — Cela est très fatigant.

LUI. — J'étais déjà suffisamment bête. J'ai été entendre cette musique de Duni[1], et de nos autres jeunes faiseurs, qui m'a achevé.

MOI. — Vous approuvez donc ce genre.

LUI. — Sans doute[2].

MOI. — Et vous trouvez de la beauté dans ces nouveaux chants ?

LUI. — Si j'y en trouve ; pardieu, je vous en réponds. Comme cela est déclamé ! quelle vérité ! quelle expression !

MOI. — Tout art d'imitation a son modèle dans la nature. Quel est le modèle du musicien, quand il fait un chant ?

LUI. — Pourquoi ne pas prendre la chose de plus haut ? Qu'est-ce qu'un chant ?

---

1. Egidio Romualdo Duni (1709-1775), compositeur d'opéras-comiques et claveciniste. Il triompha à Paris avec *Le Peintre amoureux de son modèle* (1757) et *L'Île des fous* (1760). Ami de Goldoni et de Pergolèse, apprécié des philosophes, sa gloire s'effaça au profit de Philidor et de Grétry. Comme le dit justement J. Chouillet, le rôle historique de Duni en France est d'avoir réactualisé la querelle des Bouffons de 1752-1753 : il a le premier, selon Diderot, « chanté le français en musique italienne ». **2.** Assurément.

MOI. — Je vous avouerai que cette question est au-dessus de mes forces. Voilà comme nous sommes tous. Nous n'avons dans la mémoire que des mots que nous croyons entendre[1], par l'usage fréquent et l'application même juste que nous en faisons ; dans l'esprit que des notions vagues. Quand je prononce le mot chant, je n'ai pas des notions plus nettes que vous, et la plupart de vos semblables, quand ils disent, réputation, blâme, honneur, vice, vertu, pudeur, décence, honte, ridicule[2].

LUI. — Le chant est une imitation[3], par les sons d'une échelle inventée par l'art ou inspirée par la nature, comme il vous plaira, ou par la voix ou par l'instrument, des bruits physiques ou des accents de la passion ; et vous voyez qu'en changeant là-dedans, les choses à changer, la définition conviendrait exactement à la peinture, à l'éloquence, à la sculpture, et à la poésie[4]. Maintenant, pour en venir à votre question : Quel

---

1. Comprendre. **2.** Dépasser les usages ordinaires mais vides de la langue pour interroger les vrais principes (ici de la morale et de l'art) est particulièrement ardu. Diderot en a régulièrement fait la remarque, de la *Lettre sur les sourds et muets* au *Rêve de D'Alembert*. « Presque toutes les conversations sont des comptes faits », y dit par exemple Bordeu. **3.** La théorie de l'art comme *imitation* (*mimèsis*) remonte à Platon et Aristote. Notamment sous la forme de l'*Ut pictura poesis erit* d'Horace (« la poésie [...] comme une peinture »), elle a dominé les traités de la Renaissance et de l'âge classique. Diderot y adhère, avec son temps, même s'il la retravaille à l'aube du XIXe siècle, qui prétendra la remplacer par une théorie de l'art comme *création*. Ici, le Neveu devient un poéticien nullement ridicule, proche des idées du philosophe. **4.** Dans l'article BEAU (1752), mais déjà plus tôt dans ses « Principes généraux d'acoustique » (*Mémoires sur différents sujets de mathématiques*, 1748, voir la note 1, p. 51), Diderot définit le plaisir comme « la perception de rapports : ce principe a lieu en poésie, en peinture, en architecture, en morale, dans tous les arts et dans toutes les sciences ». Mais comment cette expérience se module-t-elle, et quels en sont les contenus ? Certains arts, comme la peinture ou la poésie, se prêtent aisément, en apparence, à la théorie classique de l'imitation ; d'autres, comme la musique, y semblent plus rebelles. Diderot a brillamment interrogé cette disparité dans sa *Lettre sur les sourds et muets* (1751) qui traite de la structure des langues et de la correspondance des arts.

est le modèle du musicien ou du chant[1] ? c'est la déclamation, si le modèle est vivant et pensant ; c'est le bruit, si le modèle est inanimé. Il faut considérer la déclamation comme une ligne, et le chant comme une autre ligne qui serpenterait sur la première[2]. Plus cette déclamation, type du chant, sera forte et vraie ; plus le chant qui s'y conforme la coupera en un plus grand nombre de points ; plus le chant sera vrai ; et plus il sera beau. Et c'est ce qu'ont très bien senti nos jeunes musiciens. Quand on entend, *Je suis un pauvre diable*, on croit reconnaître la plainte d'un avare ; s'il ne chantait pas, c'est sur les mêmes tons qu'il parlerait à la terre, quand il lui confie son or et qu'il lui dit, *Ô terre, reçois mon trésor*[3]. Et cette petite fille qui sent palpiter son cœur, qui rougit, qui se trouble et qui supplie monseigneur de la laisser partir, s'exprimerait-elle autrement[4]. Il y a dans ces ouvrages, toutes sortes de caractères ; une variété infinie de déclamations. Cela

---

1. *Mimèsis*, imitation, se traduit mieux par « représentation ». En effet déjà chez Aristote, par exemple (*Poétique*), « imiter » ne signifie pas « reproduire à l'identique », mais inventer une forme selon le vraisemblable et le nécessaire. LUI, théoricien du chant, s'inscrit dans le cadre de cette poétique qui entend l'art comme transcription d'un *modèle* idéal, non comme copie démarquant le réel. **2.** J. Chouillet fait remarquer que ce croisement de deux « lignes de beauté » est une idée propre à Diderot, par où il dépasse les contradictions de son siècle et sans doute ses propres positions au moment de la querelle des Bouffons de 1751. La première ligne, celle que définit Hogarth dans *Analysis of Beauty* (1753), est la « ligne serpentine ». La seconde est celle que Diderot définit lui-même dans le *Salon de 1767* : « modèle idéal de la beauté, ligne vraie dont les artistes subalternes ne puisent que des notions incorrectes, plus ou moins approchées que dans l'antique ou dans leurs ouvrages [ceux des maîtres] ». « Entre l'interprétation baroque de Hogarth et l'interprétation antiquisante de Winckelmann, ajoute J. Chouillet, Diderot semble avoir eu l'idée d'une solution combinée où les entrelacs de la « ligne de chant » rejoindraient aussi souvent que possible la ligne pure de la déclamation. C'est bien ainsi que l'entendaient les grands de la musique : J. S. Bach, Telemann, les fils de Bach, et le fameux Hasse. » (Voir la note 9, p. 118.) **3.** Ces deux airs sont tirés des scènes IV et IX de *L'Île des fous* de Duni. **4.** Cette petite fille implorante serait Nicette, à la scène VII de *L'Île des fous*, à moins que l'air ne soit tiré du *Jardinier et son seigneur*, de Philidor (1761).

est sublime[1] ; c'est moi qui vous le dis. Allez, allez entendre le morceau où le jeune homme qui se sent mourir, s'écrie : *Mon cœur s'en va*[2]. Écoutez le chant ; écoutez la symphonie, et vous me direz après quelle différence il y a, entre les vraies voix[3] d'un moribond et le tour de ce chant. Vous verrez si la ligne de la mélodie ne coïncide pas tout entière avec la ligne de la déclamation. Je ne vous parle pas de la mesure qui est encore une des conditions du chant ; je m'en tiens à l'expression[4] ; et il n'y a rien de plus évident que le passage suivant que j'ai lu quelque part, *Musices seminarium accentus*[5]. L'accent est la pépinière de la mélodie. Jugez de là de quelle difficulté et de quelle importance il est de savoir bien faire le récitatif. Il n'y a point de bel air, dont on ne puisse faire un beau récitatif, et point de beau récitatif, dont un habile[6] homme ne puisse tirer un bel air. Je ne voudrais pas assurer que celui qui récite bien, chantera bien ; mais je serais surpris que celui qui chante bien, ne sût pas bien réciter. Et croyez tout ce que je vous dis là, car c'est le vrai.

MOI. — Je ne demanderais pas mieux que de vous en croire, si je n'étais arrêté par un petit inconvénient.

LUI. — Et cet inconvénient ?

MOI. — C'est que, si cette musique est sublime, il faut que celle du divin Lulli[7], de Campra[8], de Destouches[9],

---

1. Voir la note 2, p. 27. Le terme revient peu après, en comparaison avec la musique des prédécesseurs de Duni. **2.** Air du *Maréchal-ferrant*, opéra-comique de Quétant, musique de Philidor, représenté à la foire Saint-Laurent en 1761. **3.** Diderot a écrit « voies ». Mais comme le texte suit exactement Horace (*veras hinc duceres voces*), le doute n'est pas possible. **4.** Ces idées sont développées dans l'article EXPRESSION du *Dictionnaire de musique* de J.-J. Rousseau. **5.** C'est le texte, légèrement modifié, d'un passage des *Artes liberales* de Capella (1658), cité par Diderot dans son *Salon de 1767*. **6.** Voir la note 1, p. 49. **7.** Lulli. Voir la note 1, p. 22. **8.** André Campra (1660-1744), organiste et compositeur. Créateur du genre de l'opéra-ballet (*L'Europe galante*, 1697), il a aussi laissé des divertissements de cour. **9.** André Cardinal Destouches (1672-1749), élève de Campra, fut célèbre par ses opéras, surtout *Omphale* (1701).

de Mouret[1], et même soit dit entre nous, celle du cher oncle soit un peu plate.

LUI, s'approchant de mon oreille, me répondit : Je ne voudrais pas être entendu ; car il y a ici beaucoup de gens qui me connaissent ; c'est qu'elle l'est aussi. Ce n'est pas que je me soucie du cher oncle, puisque cher il y a. C'est une pierre. Il me verrait tirer la langue d'un pied, qu'il ne me donnerait pas un verre d'eau. Mais il a beau faire à l'octave, à la septième[2], hon, hon ; hin, hin ; tu, tu, tu ; turelututu, avec un charivari de diable ; ceux qui commencent à s'y connaître, et qui ne prennent plus du tintamarre pour de la musique, ne s'accommoderont jamais de cela. On devait[3] défendre par une ordonnance de police, à quelque personne, de quelque qualité ou condition qu'elle fût, de faire chanter le *Stabat*[4] du Pergolèse[5]. Ce *Stabat*, il fallait le faire brûler par la main du bourreau. Ma foi ; ces maudits bouffons[6], avec leur *Servante maîtresse*, leur *Tracollo*[7], nous en ont donné rudement dans le cul. Autrefois, un *Tancrède*, un *Issé*, une *Europe galante, Les Indes*,

---

1. Jean-Joseph Mouret (1682-1738), musicien célèbre sous la Régence à cause de ses concerts de musique de chambre, il jalousait Rameau. Avec ce dernier, Campra et Destouches, il représente la musique française défendue par le « coin du roi » lors de la querelle des Bouffons. **2.** *Septième*. « En *Musique*, est un intervalle dissonant, que les Grecs appellent *heptacordon*, parce qu'il est formé de sept tons, c'est-à-dire de dix degrés diatoniques » (*Encyclopédie*). **3.** *On devait* : « on aurait dû », selon l'usage classique. **4.** Le *Stabat Mater* de Pergolèse est son œuvre la plus célèbre. Composé en 1736, il fut chanté au Concert spirituel (voir la note 2, p. 47) en avril 1753 et resta au répertoire. **5.** Giovanni Battista Pergolèse (1710-1736) composa *La Serva Padrona* en 1733 et, malade dès 1735, le *Stabat Mater* en 1736. Sa renommée gagna la France en 1738. **6.** *Bouffons*. Cette célèbre querelle est l'une des références majeures de la thématique du *Neveu de Rameau*. Voir la note 1, p. 22. **7.** *La Servante maîtresse* : *La Serva Padrona*, composée en 1733, fut donnée à Paris en 1746 et 1752 par les Bouffons italiens accueillis de 1752 à 1754 par l'Opéra : la querelle éclata à l'occasion de la représentation du 1er mai 1753. Son *Tracollo medico ignorante*, intermède, fut également donné à Paris en 1753.

et *Castor, Les Talents lyriques*[1], allaient à quatre, cinq, six mois. On ne voyait point la fin des représentations d'une *Armide*[2]. À présent, tout cela vous tombe les uns sur les autres, comme des capucins de cartes[3]. Aussi Rebel et Francœur[4] jettent-ils feu et flamme. Ils disent que tout est perdu, qu'ils sont ruinés ; et que si l'on tolère plus longtemps cette canaille chantante de la foire[5], la musique nationale est au diable ; et que l'Académie royale du cul-de-sac[6] n'a qu'à fermer boutique. Il y a bien quelque chose de vrai, là-dedans. Les vieilles perruques qui viennent là depuis trente à quarante ans, tous les vendredis, au lieu de s'amuser comme ils ont fait par le passé, s'ennuient et bâillent, sans trop savoir pourquoi. Ils se le demandent et ne sauraient se répondre. Que ne s'adressent-ils à moi ? La prédiction de Duni[7] s'accomplira ; et du train que cela prend, je veux mourir si, dans quatre à cinq ans à dater du

---

1. Voici maintenant l'ancien répertoire français dont les Italiens avaient fait passer la mode. *Tancrède* (1702) et *L'Europe galante* (1697) sont des ballets héroïques de Campra ; *Issé* (1697) est une œuvre de Destouches ; *Les Indes galantes* (1735), *Castor et Pollux* (1737), *Les Talents lyriques ou les Fêtes d'Hébé* (1739) sont un ballet héroïque, une tragédie en musique et un opéra-ballet de Rameau. **2.** L'*Armide* de Quinault, musique de Lulli (1686), avait eu du succès jusqu'aux reprises de 1761 et 1764. **3.** Le *capucin de carte*, explique Littré, est une « carte que les enfants plient longitudinalement pour la faire tenir droite, et à laquelle ils font une entaille en angle aigu, qu'ils retournent en la relevant pour lui donner l'air d'un capuce ; ces capucins, rangés à la file et assez près, tombent les uns sur les autres quand on fait tomber le premier. De là les locutions : ils tombèrent comme des capucins de carte [...] ». **4.** François Rebel (1701-1775) et François Francœur (1698-1797) dirigèrent l'Opéra de 1757 à 1767 et s'inquiétèrent de la vogue grandissante du vaudeville et de l'opéra-comique dont la troupe était installée à la foire Saint-Laurent. Voir la note 3, p. 89. **5.** Il s'agit de l'Opéra-Comique avec lequel l'Opéra ne cessa d'être en procès. **6.** On accédait à l'Opéra par une impasse, à partir du Palais-Royal (incendié en 1763, l'Opéra ne rouvrit qu'en 1770 : voir la note 3, p. 17). Les partisans de la musique italienne eurent ainsi l'occasion de ce jeu de mots. **7.** - Duni. Voir la note 1, p. 106.

Peintre amoureux de son modèle[1], il y a un chat à fesser dans le célèbre impasse[2]. Les bonnes gens, ils ont renoncé à leurs symphonies, pour jouer des symphonies italiennes. Ils ont cru qu'ils feraient leurs oreilles à celles-ci, sans conséquence pour leur musique vocale, comme si la symphonie n'était pas au chant, à un peu de libertinage[3] près inspiré par l'étendue de l'instrument et la mobilité des doigts, ce que le chant est à la déclamation réelle. Comme si le violon n'était pas le singe du chanteur, qui deviendra un jour, lorsque le difficile prendra la place du beau, le singe du violon. Le premier qui joua Locatelli[4], fut l'apôtre de la nouvelle musique. À d'autres, à d'autres. On nous accoutumera à l'imitation des accents de la passion ou des phénomènes de la nature, par le chant et la voix, par l'instrument, car voilà toute l'étendue de l'objet de la musique, et nous conserverons notre goût pour les vols, les lances, les gloires, les triomphes, les victoires[5] ? *Va-t'en voir, s'ils viennent, Jean*[6]. Ils ont imaginé qu'ils pleureraient ou riraient à des scènes de tragédie ou de comédie, musiquées ; qu'on porterait à leurs oreilles, les accents de la fureur, de la haine, de la jalousie, les vraies plaintes de l'amour, les ironies, les plaisanteries du théâtre italien ou français ; et qu'ils resteraient admirateurs de *Ragonde* et de *Platée*[7]. Je

---

1. *Le Peintre amoureux de son modèle*, opéra-comique de Duni, le premier qu'il composa sur des paroles françaises (d'Anseaume). Il fut créé à la foire Saint-Laurent et eut un succès prodigieux. Cette pièce « acheva de fixer le goût des Français pour la musique italienne ». Elle marque le début de l'opéra-comique comme genre franco-italien. **2.** Voltaire a imposé ce terme contre *cul-de-sac*, qu'il jugeait grossier. Comme lui, Diderot emploie ce nom au masculin. **3.** Voir la note 1, p. 18. Le mot ici signifie « liberté de jeu, ou d'improvisation ». **4.** Locatelli. Voir la note 1, p. 47. L'importance que LUI lui accorde vient en particulier de ce qu'il était un violoniste virtuose. **5.** Voir la note 2, p. 22. **6.** Vieille chanson dont le refrain signifie « compte là-dessus ». **7.** *Les Amours de Ragonde*, comédie de Philippe Néricault Destouches, musique de Mouret (1742) ; *Platée*, comédie-ballet de Rameau (1749), farce mythologique, parodiant les ariettes à l'italienne. Ces deux œuvres sont à l'opposé du goût de LUI — et des philosophes.

t'en réponds : Tarare, ponpon[1] ; qu'ils éprouveraient sans cesse, avec quelle facilité, quelle flexibilité, quelle mollesse, l'harmonie, la prosodie, les ellipses, les inversions de la langue italienne se prêtaient à l'art, au mouvement, à l'expression, aux tours du chant, et à la valeur mesurée des sons[2], et qu'ils continueraient d'ignorer combien la leur est roide, sourde, lourde, pesante, pédantesque et monotone. Eh oui ; oui. Ils se sont persuadé qu'après avoir mêlé leurs larmes aux pleurs d'une mère qui se désole sur la mort de son fils ; après avoir frémi de l'ordre d'un tyran qui ordonne un meurtre ; ils ne s'ennuieraient pas de leur féerie, de leur insipide mythologie, de leurs petits madrigaux doucereux qui ne marquent pas moins le mauvais goût du poète, que la misère de l'art qui s'en accommode[3]. Les bonnes gens ! cela n'est pas et ne peut être. Le vrai, le bon, le beau ont leurs droits. On les conteste, mais on finit par admirer. Ce qui n'est pas marqué à ce coin, on l'admire un temps ; mais on finit par bâiller. Bâillez donc, messieurs ; bâillez à votre aise. Ne vous gênez pas. L'empire de la nature, et de ma trinité[4], contre laquelle les portes de l'enfer ne prévaudront jamais : le vrai qui est le père, et qui engendre le bon qui est le fils ; d'où procède le beau qui est le saint-esprit, s'établit tout doucement. Le dieu étranger se place humblement sur l'autel à côté de l'idole du pays ; peu à peu, il s'y affermit ; un beau jour, il pousse du

---

1. Onomatopée moqueuse contre l'ancien style héroïque. **2.** L'idée que la langue italienne est naturellement faite pour la musique, avancée par les partisans des Italiens, a été particulièrement défendue par J.-J. Rousseau. Elle a été combattue par Jean-François Rameau (l'authentique), dans sa *Raméide*, comme anti-française. **3.** Diderot, qui juge comme Rousseau et comme Grimm la langue française peu propre au chant, critique surtout ici le goût suranné et dépassé des partisans de la musique, de la poésie et de la scène françaises traditionnelles. **4.** Cette parodie de la Trinité chrétienne, nullement déplacée dans la bouche du Neveu, n'est pas sans rappeler la position que Diderot, de façon moins burlesque, expose ailleurs dans son œuvre : la Trinité y devient trilogie philosophique.

coude son camarade ; et patatras, voilà l'idole en bas[1]. C'est comme cela qu'on dit que les Jésuites ont planté le christianisme à la Chine et aux Indes. Et ces Jansénistes ont beau dire, cette méthode politique qui marche à son but, sans bruit, sans effusion de sang, sans martyr, sans un toupet de cheveux arraché, me semble la meilleure[2].

MOI. — Il y a de la raison, à peu près, dans tout ce que vous venez de dire.

LUI. — De la raison ! tant mieux. Je veux que le diable m'emporte, si j'y tâche. Cela va, comme je te pousse. Je suis comme les musiciens de l'impasse, quand mon oncle parut ; si j'adresse[3] à la bonne heure, c'est qu'un garçon charbonnier parlera toujours mieux de son métier que toute une académie, et que tous les Duhamel[4] du monde.

Et puis le voilà qui se met à se promener, en murmurant dans son gosier, quelques-uns des airs de *L'île des fous*, du *Peintre amoureux de son modèle*, du *Maréchal-ferrant*, de *La Plaideuse*[5] ; et de temps en temps, il s'écriait, en levant les mains et les yeux au ciel : si cela est beau, mordieu, si cela est beau ! Comment peut-on porter à sa tête une paire d'oreilles et faire une pareille question. Il commençait à entrer en passion, et à chanter tout bas. Il élevait le ton, à mesure qu'il se

---

1. L'image du Dieu des missionnaires qui, installé sur le même piédestal, renverse le dieu des idolâtres, est utilisée par « le Maître » dans les *Leçons de clavecin* de 1771. **2.** L'allusion aux *martyrs du jansénisme* renvoie aux théories des partisans du jansénisme populaire, très actif et très influent au XVIIIe siècle, qui étaient diffusées dans la feuille clandestine *Les Nouvelles ecclésiastiques*. Voir les notes 2, p. 34 et 3, p. 86. **3.** *Adresser*. « Tirer, aller droit au but » (*Trévoux*). L'expression signifie : « Si je tombe juste, tant mieux ! » **4.** Henri Louis Duhamel du Monceau (1709-1782), célèbre agronome, auteur en 1760 d'un *Art du charbonnier*. Diderot avait utilisé plusieurs de ses ouvrages pour des articles de l'*Encyclopédie*. **5.** Pour *L'Île des fous*, voir la note 1, p. 106. Pour *Le Peintre amoureux de son modèle*, voir les notes 1, p. 106 et 1, p. 112. Pour *Le Maréchal-ferrant*, voir la note 2, p. 109. *Le Procès ou la Plaideuse* (1762) est une comédie de Favart, musique de Duni, représentée au Théâtre-Italien.

passionnait davantage ; vinrent ensuite, les gestes, les grimaces du visage et les contorsions du corps ; et je dis : bon ; voilà la tête qui se perd, et quelque scène nouvelle qui se prépare ; en effet, il part d'un éclat de voix : *Je suis un pauvre misérable... Monseigneur, monseigneur, laissez-moi partir... Ô terre, reçois mon or ; conserve bien mon trésor... Mon âme, mon âme, ma vie ! Ô terre !... Le voilà le petit ami ; le voilà le petit ami !... Aspettare e non venire... A Zerbina penserete... Sempre in contrasti con te si sta*[1]... Il entassait et brouillait ensemble trente airs, italiens, français, tragiques, comiques, de toutes sortes de caractères ; tantôt avec une voix de basse-taille[2], il descendait jusqu'aux enfers ; tantôt s'égosillant, et contrefaisant le fausset, il déchirait le haut des airs, imitant de la démarche, du maintien, du geste, les différents personnages chantants ; successivement furieux, radouci, impérieux, ricaneur. Ici, c'est une jeune fille qui pleure et il en rend toute la minauderie ; là il est prêtre, il est roi, il est tyran, il menace, il commande, il s'emporte ; il est esclave, il obéit. Il s'apaise, il se désole, il se plaint, il rit ; jamais hors de ton, de mesure, du sens des paroles et du caractère de l'air. Tous les pousse-bois avaient quitté leurs échiquiers et s'étaient rassemblés autour de lui. Les fenêtres du café étaient occupées, en dehors, par les passants qui s'étaient arrêtés au bruit. On faisait des éclats de rire à entrouvrir le plafond. Lui n'apercevait rien ; il continuait, saisi d'une aliénation d'esprit, d'un enthousiasme si voisin de la folie, qu'il est incertain qu'il en revienne ; s'il ne faudra pas le jeter dans un fiacre, et le mener droit aux Petites-Maisons[3], en

---

1. Cette suite d'airs est empruntée à *L'Île des fous* de Duni et à *La Serva Padrona* de Pergolèse. **2.** *Basse-taille*. « La *taille* se divise quelquefois en deux autres parties ; l'une la plus élevée qu'on appelle *première* ou *haute-taille* ; l'autre plus basse qu'on appelle *seconde* ou *basse-taille* » (*Encyclopédie*, art. TAILLE). La *basse-taille* est le ténor grave. **3.** Voir la note 4, p. 71.

chantant[1] un lambeau des *Lamentations* de Jommelli[2]. Il répétait avec une précision, une vérité et une chaleur incroyable, les plus beaux endroits de chaque morceau ; ce beau récitatif obligé[3] où le prophète peint la désolation de Jérusalem, il l'arrosa d'un torrent de larmes qui en arrachèrent de tous les yeux. Tout y était, et la délicatesse du chant, et la force de l'expression ; et la douleur. Il insistait sur les endroits où le musicien s'était particulièrement montré un grand maître ; s'il quittait la partie du chant, c'était pour prendre celle des instruments qu'il laissait subitement, pour revenir à la voix ; entrelaçant l'une à l'autre, de manière à conserver les liaisons, et l'unité du tout ; s'emparant de nos âmes, et les tenant suspendues dans la situation la plus singulière que j'aie jamais éprouvée... Admirais-je ? oui, j'admirais ! étais-je touché de pitié ? j'étais touché de pitié ; mais une teinte de ridicule était fondue dans ces sentiments, et les dénaturait.

Mais vous vous seriez échappé[4] en éclats de rire, à la manière dont il contrefaisait les différents instruments. Avec des joues renflées et bouffies, et un son rauque et sombre, il rendait les cors et les bassons ; il prenait un son éclatant et nasillard pour les haut-bois ; précipitant sa voix avec une rapidité incroyable, pour les instruments à cordes dont il cherchait les sons les plus approchés ; il sifflait les petites flûtes ; il recoulait[5] les

---

1. *En chantant* : « tandis qu'il chante ». Le tour (gérondif ne se rapportant pas au sujet de la proposition) est correct dans la langue classique. **2.** Nicolo Jommelli (1714-1774), établi à Stuttgart, auteur d'une cinquantaine d'opéras, d'oratorios, de cantates et de musique sacrée. Ses célèbres *Lamentations de Jérémie* avaient été données au Concert spirituel en 1751. **3.** *Récitatif* (*obligé*). « C'est celui qui, entremêlé de ritournelles et de traits de symphonie, oblige, pour ainsi dire le récitant et l'orchestre l'un envers l'autre, en sorte qu'ils doivent être attentifs et s'attendre mutuellement » (J.-J. Rousseau, *Dictionnaire de musique*). **4.** *Échappé*. « Avec le pronom personnel, signifie s'oublier, s'emporter, s'égarer... Il s'est *échappé* à dire des injures à son père » (*Trévoux*). **5.** Ce verbe, employé ici transitivement, comme *siffler*, n'est pas attesté dans les dictionnaires contemporains. On rencontre en revanche, comme aujourd'hui, *roucouler*.

traversières[1] ; criant, chantant, se démenant comme un forcené ; faisant lui seul, les danseurs, les danseuses, les chanteurs, les chanteuses, tout un orchestre, tout un théâtre lyrique, et se divisant en vingt rôles divers, courant, s'arrêtant, avec l'air d'un énergumène[2], étincelant des yeux, écumant de la bouche. Il faisait une chaleur à périr ; et la sueur qui suivait les plis de son front et la longueur de ses joues, se mêlait à la poudre de ses cheveux, ruisselait, et sillonnait le haut de son habit. Que ne lui vis-je pas faire ? il pleurait, il riait, il soupirait ; il regardait, ou attendri, ou tranquille, ou furieux ; c'était une femme qui se pâme de douleur ; c'était un malheureux livré à tout son désespoir ; un temple qui s'élève ; des oiseaux qui se taisent au soleil couchant ; des eaux ou qui murmurent dans un lieu solitaire et frais, ou qui descendent en torrent du haut des montagnes ; un orage ; une tempête, la plainte de ceux qui vont périr, mêlée au sifflement des vents, au fracas du tonnerre ; c'était la nuit, avec ses ténèbres ; c'était l'ombre et le silence ; car le silence même se peint par des sons[3]. Sa tête était tout à fait perdue. Épuisé de fatigue, tel qu'un homme qui sort d'un profond sommeil ou d'une longue distraction ; il resta immobile, stupide[4], étonné[5]. Il tournait ses regards autour de lui, comme un homme égaré qui cherche à reconnaître le lieu où il se trouve. Il attendait le retour de ses forces et de ses esprits ; il essuyait machinale-

---

1. « La flûte d'Allemand... [s'appelle aussi flûte traversière] ne s'embouche point par le bout, qui au contraire est bouché d'un tampon, mais on applique la lèvre supérieure à un trou qui en est éloigné de six lignes. Sa longueur est d'environ un pied » (*Trévoux*). **2.** *Énergumène.* Voir la note 5, p. 86. **3.** « La musique [...] peint tout, même les objets qui ne sont pas visibles : par un prestige presque inconcevable elle semble mettre l'œil dans l'oreille ; et la plus grande merveille d'un art qui n'agit que par le mouvement, est d'en pouvoir former jusqu'à l'image du repos. La nuit, le sommeil, la solitude, et le silence, entrent dans le nombre des grands tableaux de la musique » (J.-J. Rousseau, art. IMITATION du *Dictionnaire de musique*, propos repris dans OPÉRA et dans l'*Essai sur l'origine des langues*). **4.** Au sens classique de « frappé de stupeur », « privé de parole ». **5.** Voir la note 1, p. 37.

ment son visage. Semblable à celui qui verrait à son réveil, son lit environné d'un grand nombre de personnes ; dans un entier oubli ou dans une profonde ignorance de ce qu'il a fait, il s'écria dans le premier moment : Hé bien, messieurs, qu'est-ce qu'il y a ? d'où viennent vos ris, et votre surprise ? Qu'est-ce qu'il y a ? Ensuite il ajouta : Voilà ce qu'on doit appeler de la musique et un musicien. Cependant, messieurs, il ne faut pas mépriser certains morceaux de Lulli[1]. Qu'on fasse mieux la scène, *Ah ! j'attendrai*[2] sans changer les paroles ; j'en défie. Il ne faut pas mépriser quelques endroits de Campra[3], les airs de violon de mon oncle, ses gavottes[4] ; ses entrées de soldats, de prêtres, de sacrificateurs... *Pâles flambeaux, nuit plus affreuse que les ténèbres*[5]... *Dieux du Tartare, dieu de l'oubli*[6]... Là, il enflait sa voix ; il soutenait ses sons ; les voisins se mettaient aux fenêtres ; nous mettions nos doigts dans nos oreilles. Il ajoutait : c'est ici qu'il faut des poumons ; un grand organe ; un volume d'air. Mais avant peu, serviteur à l'Assomption ; le carême et les Rois sont passés[7]. Ils ne savent pas encore ce qu'il faut mettre en musique, ni par conséquent ce qui convient au musicien. La poésie lyrique est encore à naître. Mais ils y viendront ; à force d'entendre le Pergolèse[8], le Saxon[9],

---

1. Lulli. Voir la note 1, p. 22. **2.** Monologue de Roland dans la tragédie en musique *Roland* de Lulli et Quinault (1685). **3.** Campra. Voir la note 8, p. 109. **4.** *Gavottes*. Voir la note 1, p. 35. **5.** C'est, ici fautivement cité, l'air de Thélaïde dans *Castor et Pollux* (1737) de Rameau, que chante Suzanne Simonin dans *La Religieuse* lorsqu'elle est reçue à l'abbaye de Longchamp. **6.** Air tiré du *Temple de la gloire* de Rameau et Voltaire, dont LUI a déjà cité les deux premiers vers auparavant (voir la note 4, p. 34). **7.** *Serviteur à* : « il n'est plus question de ». L'Assomption rejoindra dans le passé la fête des Rois et le Carême, c'est-à-dire que la musique française aura fait son temps. **8.** Pour Pergolèse, voir la note 5, p. 110. **9.** Jean Adolphe Pierre Hasse (1699-1783), dit le Saxon, compositeur allemand auteur de très nombreux opéras sur des livrets de Métastase. Dans les *Leçons de clavecin*, Diderot le considère comme aussi célèbre que Pergolèse.

Terradeglias[1], Traetta[2], et les autres ; à force de lire le Métastase[3], il faudra bien qu'ils y viennent.

MOI. — Quoi donc, est-ce que Quinault, La Motte, Fontenelle n'y ont rien entendu[4] ?

LUI. — Non pour le nouveau style. Il n'y a pas six vers de suite dans tous leurs charmants poèmes qu'on puisse musiquer. Ce sont des sentences ingénieuses ; des madrigaux légers, tendres et délicats ; mais pour savoir combien cela est vide de ressource pour notre art, le plus violent de tous, sans en excepter celui de Démosthène[5], faites-vous réciter ces morceaux, combien ils vous paraîtront froids, languissants, monotones. C'est qu'il n'y a rien là qui puisse servir de modèle au chant. J'aimerais autant avoir à musiquer les *Maximes* de La Rochefoucauld, ou les *Pensées* de Pascal[6]. C'est au cri animal de la passion, à dicter la ligne qui nous convient. Il faut que ses expressions soient pressées les unes sur les autres ; il faut que la phrase soit courte ; que le sens en soit coupé, suspendu ; que le musicien puisse disposer du tout et de cha-

---

1. Dominique Michel Barnabé Terradeglias ou Terradellas (1713-1751), compositeur espagnol vivant à Rome, auteur d'opéras et de musique sacrée. **2.** Tommaso Traetta (1727-1779), dit aussi Trajetta, compositeur italien qui reprit des sujets d'opéras français, fut attaché à plusieurs cours d'Europe. **3.** Pierre Bonaventure Trapassi (1698-1782), dit Métastase, célèbre poète et librettiste admiré par les philosophes, plus tard chanté par Stendhal. Il écrivit de nombreux livrets d'opéra, des sérénades et poèmes de circonstance, notamment pour Jommelli, Gluck et Mozart. Concevant de façon neuve les rapports de la musique et du texte, il incarne la « nouvelle poésie lyrique encore à naître ». **4.** Les trois auteurs cités ne sont nullement des incapables, de l'aveu même de LUI. C'est leur manière qui est dépassée. Philippe Quinault (1635-1688), auteur de tragédies, tragi-comédies et comédies, fut librettiste de Lulli. Antoine Houdar de La Motte (1672-1731), auteur de tragédies, écrivit de nombreux livrets, notamment pour Dauvergne, Destouches et Campra. Fontenelle (1657-1757, voir la note 3, p. 59), écrivain important et précurseur des philosophes, fut aussi auteur de tragédies lyriques et de livrets d'opéra. **5.** Démosthène, le plus grand orateur de la Grèce classique. **6.** Les *Maximes* de La Rochefoucauld et les *Pensées* de Pascal, chefs-d'œuvre de la littérature du XVIIe siècle, ne sont évidemment pas propres à être mises en musique.

cune de ses parties ; en omettre un mot, ou le répéter ; y en ajouter un qui lui manque ; la tourner et retourner, comme un polype[1], sans la détruire ; ce qui rend la poésie lyrique française beaucoup plus difficile que dans les langues à inversions[2] qui présentent d'elles-mêmes tous ces avantages... *Barbare, cruel, plonge ton poignard dans mon sein. Me voilà prête à recevoir le coup fatal. Frappe. Ose... Ah, je languis, je meurs... Un feu secret s'allume dans mes sens... Cruel amour, que veux-tu de moi... Laisse-moi la douce paix dont j'ai joui... Rends-moi la raison*[3]... Il faut que les passions soient fortes ; la tendresse[4] du musicien et du poète lyrique doit être extrême. L'air est presque toujours la péroraison de la scène... Il nous faut des exclamations, des interjections, des suspensions, des interruptions, des affirmations, des négations ; nous appelons, nous invoquons, nous crions, nous gémissons, nous pleurons, nous rions franchement. Point d'esprit, point d'épigrammes ; point de ces jolies pensées. Cela est trop loin de la simple nature. Or n'allez pas croire que le jeu des acteurs de théâtre et leur déclamation puissent nous servir de modèles. Fi donc.

---

1. C'est ici Diderot qui parle derrière le Neveu, parce que les traits stylistiques qu'il préconise (phrases courtes, expressions pressées, coupées, suspendues, transformables par le musicien) se trouvent déjà, exactement et en exemples, dans les *Entretiens sur le Fils naturel* de 1757 ; parce que le *polype* est l'une des figures importantes de sa réflexion sur le vivant, qu'il étend à d'autres domaines, comme la poétique ; et parce qu'on retrouve, liée aux précédentes, une autre idée présente dans son œuvre, celle que la musique est « le plus violent de tous les arts », celui qui « parle le plus fortement à l'âme », car il est proche du « cri animal de la passion ». **2.** Dans la *Lettre sur les sourds et muets*, Diderot expliquait déjà la différence entre le français, dont l'ordre syntaxique est plus rigide, et les langues à inversions (grec, latin, italien), plus propres à exprimer les passions. **3.** LUI reprend ici la transcription que Diderot-Dorval avait proposée de vers de Racine dans le troisième entretien sur *Le Fils naturel*. Mais les fragments de *Phèdre* que chante le Neveu sont un pot-pourri indémêlable. **4.** L'adjectif a le sens fort classique de « passionné », comme dans l'expression « le tendre Racine ».

Il nous le faut plus énergique[1], moins maniéré, plus vrai. Les discours simples, les voix communes de la passion, nous sont d'autant plus nécessaires que la langue sera plus monotone, aura moins d'accent. Le cri animal ou de l'homme passionné leur en donne.

Tandis qu'il me parlait ainsi, la foule qui nous environnait, ou n'entendant rien ou prenant peu d'intérêt à ce qu'il disait, parce qu'en général l'enfant comme l'homme, et l'homme comme l'enfant aime mieux s'amuser que s'instruire, s'était retirée ; chacun était à son jeu ; et nous étions restés seuls dans notre coin. Assis sur une banquette, la tête appuyée contre le mur, les bras pendants, les yeux à demi fermés, il me dit : Je ne sais ce que j'ai ; quand je suis venu ici, j'étais frais et dispos ; et me voilà roué, brisé, comme si j'avais fait dix lieues. Cela m'a pris subitement.

MOI. — Voulez-vous vous rafraîchir ?

LUI. — Volontiers. Je me sens enroué. Les forces me manquent ; et je souffre un peu de la poitrine. Cela m'arrive presque tous les jours, comme cela ; sans que je sache pourquoi.

MOI. — Que voulez-vous ?

LUI. — Ce qui vous plaira. Je ne suis pas difficile. L'indigence m'a appris à m'accommoder de tout.

On nous sert de la bière, de la limonade. Il en remplit un grand verre qu'il vide deux ou trois fois de suite. Puis comme un homme ranimé, il tousse fortement, il se démène, il reprend : Mais à votre avis, seigneur philosophe, n'est-ce pas une bizarrerie bien étrange, qu'un étranger, un Italien, un Duni[2] vienne nous apprendre à donner de l'accent à notre musique ;

---

1. *Énergique*. Terme important de la pensée de Diderot. L'énergie du style ou du geste est l'effet visible de l'énergie des passions. Elle est à l'origine de tout ce qui est grand, dans le bien, le beau, mais aussi dans le mal. Le mot *énergie* revient une page plus loin. **2.** Duni. Voir la note 1, p. 106.

à assujettir notre chant à tous les mouvements, à toutes les mesures, à tous les intervalles, à toutes les déclamations, sans blesser la prosodie. Ce n'était pourtant pas la mer à boire. Quiconque avait écouté un gueux lui demander l'aumône dans la rue, un homme dans le transport de la colère, une femme jalouse et furieuse, un amant désespéré, un flatteur, ouï un flatteur radoucissant son ton, traînant ses syllabes, d'une voix mielleuse ; en un mot une passion, n'importe laquelle, pourvu que par son énergie, elle méritât de servir de modèle au musicien, aurait dû s'apercevoir de deux choses, l'une que les syllabes, longues ou brèves, n'ont aucune durée fixe, pas même de rapport déterminé entre leurs durées ; que la passion dispose de la prosodie, presque comme il lui plaît [1] ; qu'elle exécute les plus grands intervalles, et que celui qui s'écrie dans le fort de sa douleur : Ah, malheureux que je suis, monte la syllabe d'exclamation au ton le plus élevé et le plus aigu, et descend les autres aux tons les plus graves et les plus bas [2], faisant l'octave ou même un plus grand intervalle, et donnant à chaque son la quantité qui convient au tour de la mélodie ; sans que l'oreille soit offensée, sans que ni la syllabe longue, ni la syllabe brève aient conservé la longueur ou la brièveté du discours tranquille. Quel chemin nous avons fait depuis le temps où nous citions la parenthèse [3] d'*Armide : Le vainqueur de Renaud, si quelqu'un le peut être*,

---

1. Un chant qui est assujetti à toutes les déclamations « sans blesser la prosodie », c'est celui que Duni et les Italiens « apprennent » aux Français, quelques lignes plus haut. Ce chant s'inspire de celui de la nature. De sorte que « la passion dispose [...] presque comme il lui plaît » d'une prosodie artificielle, inexpressive, celle du français mais plus encore des conventions dépassées d'une poétique éloignée de la nature. L'apparente contradiction provient de la difficulté, pour le Neveu comme pour Diderot, à signifier l'« énergie naturelle » dans des langues et des systèmes artistiques différents, différemment éloignés du « cri originel de la passion ». **2.** L'opposition *grave-aigu* n'était pas encore complètement fixée dans le langage courant de l'époque. **3.** Cette « parenthèse » est un air d'Armide dans l'opéra de Lulli et Quinault, *Armide et Renaud*.

l'*Obéissons sans balancer*, des *Indes galantes*[1], comme des prodiges de déclamation musicale ! À présent, ces prodiges-là me font hausser les épaules de pitié. Du train dont l'art s'avance, je ne sais où il aboutira. En attendant, buvons un coup.

Il en boit deux, trois, sans savoir ce qu'il faisait. Il allait se noyer, comme il s'était épuisé, sans s'en apercevoir, si je n'avais déplacé la bouteille qu'il cherchait de distraction. Alors je lui dis :

MOI. — Comment se fait-il qu'avec un tact aussi fin, une si grande sensibilité pour les beautés de l'art musical, vous soyez aussi aveugle sur les belles choses en morale, aussi insensible aux charmes de la vertu.

LUI. — C'est apparemment qu'il y a pour les unes un sens que je n'ai pas ; une fibre[2] qui ne m'a point été donnée, une fibre lâche qu'on a beau pincer et qui ne vibre pas ; ou peut-être c'est que j'ai toujours vécu avec de bons musiciens et de méchantes gens ; d'où il est arrivé que mon oreille est devenue très fine, et que mon cœur est devenu sourd. Et puis c'est qu'il y avait quelque chose de race. Le sang de mon père et le sang de mon oncle est le même sang. Mon sang est le même que celui de mon père. La molécule[3] paternelle était dure et obtuse ; et cette maudite molécule première s'est assimilé tout le reste.

---

1. Chœur des *Indes galantes* de Rameau, acte des Incas, scène III.
2. Le *Dictionnaire de médecine* de James, traduit par Diderot, fait de la *fibre* un principe universel d'explication biologique. « On entend en général par *fibres*, dans la physique du corps animal, et par conséquent du corps humain, les filaments les plus simples qui entrent dans la composition, la structure, les parties solides dont il est formé » (*Encyclopédie*). On sait l'importance de cette notion pour Diderot, qui la combine avec celle de « cordes vibrantes », du *Rêve de D'Alembert* (« brin du faisceau », « fil du réseau ») jusqu'aux *Éléments de physiologie*. Voir la note 3, p. 123. **3.** *Molécule* : « petite masse ou petite portion des corps » (*Encyclopédie*), c'est une notion de physique et de médecine. *Le Rêve de D'Alembert* donne toute son extension à cette notion développée par Buffon pour exprimer les plus petites particules de vie, plus ou moins responsables, comme l'est la fibre au niveau immédiatement supérieur, de l'hérédité. Voir la note 2, p. 123.

MOI. — Aimez-vous votre enfant ?

LUI. — Si je l'aime, le petit sauvage, j'en suis fou.

MOI. — Est-ce que vous ne vous occuperez pas sérieusement d'arrêter en lui l'effet de la maudite molécule paternelle ?

LUI. — J'y travaillerais, je crois, bien inutilement. S'il est destiné à devenir un homme de bien, je n'y nuirai pas. Mais si la molécule voulait qu'il fût un vaurien comme son père, les peines que j'aurais prises, pour en faire un homme honnête, lui seraient très nuisibles ; l'éducation croisant sans cesse la pente de la molécule, il serait tiré comme par deux forces contraires, et marcherait tout de guingois, dans le chemin de la vie, comme j'en vois une infinité, également gauches dans le bien et dans le mal ; c'est ce que nous appelons des espèces [1], de toutes les épithètes la plus redoutable, parce qu'elle marque la médiocrité, et le dernier degré du mépris. Un grand vaurien est un grand vaurien, mais n'est point une espèce. Avant que la molécule paternelle n'eût repris le dessus et ne l'eût amené à la parfaite abjection où j'en suis, il lui faudrait un temps infini ; il perdrait ses plus belles années. Je n'y fais rien à présent. Je le laisse venir. Je l'examine. Il est déjà gourmand, patelin, filou, paresseux, menteur. Je crains bien qu'il ne chasse de race [2].

MOI. — Et vous en ferez un musicien, afin qu'il ne manque rien à la ressemblance ?

LUI. — Un musicien ! un musicien ! quelquefois je le regarde, en grinçant des dents ; et je dis : si tu devais jamais savoir une note, je crois que je te tordrais le cou.

MOI. — Et pourquoi cela, s'il vous plaît ?

LUI. — Cela ne mène à rien.

MOI. — Cela mène à tout.

---

1. *Espèces*. Voir la note 3, p. 98. Par opposition à la grandeur du « grand vaurien », doué d'unité de caractère, l'« espèce » est marquée au sceau de la médiocrité. **2.** Rappelons que le fils de Jean-François Rameau est mort en juin 1761 à l'âge de quatre ans. Nous voilà revenus, dans la fiction de l'entretien, du vivant de l'oncle Rameau.

LUI. — Oui, quand on excelle ; mais qui est-ce qui peut se promettre de son enfant qu'il excellera ? Il y a dix mille à parier contre un qu'il ne serait qu'un misérable racleur de cordes, comme moi. Savez-vous qu'il serait peut-être plus aisé de trouver un enfant propre à gouverner un royaume, à faire un grand roi qu'un grand violon.

MOI. — Il me semble que les talents agréables, même médiocres, chez un peuple sans mœurs [1], perdu de débauche et de luxe [2], avancent rapidement un homme dans le chemin de la fortune. Moi qui vous parle, j'ai entendu la conversation qui suit, entre une espèce de protecteur et une espèce de protégé [3]. Celui-ci avait été adressé au premier, comme à un homme obligeant qui pourrait le servir... Monsieur, que savez-vous ? — Je sais passablement les mathématiques. — Hé bien, montrez les mathématiques ; après vous être crotté dix à douze ans sur le pavé de Paris, vous aurez trois à quatre cents livres de rente. — J'ai étudié les lois, et je suis versé dans le droit. — Si Puffendorf et Grotius [4] revenaient au monde, ils mourraient de faim, contre une borne. — Je sais très bien l'histoire et la géographie. — S'il y avait des parents qui eussent

---

1. *Peuple sans mœurs* : c'est MOI qui parle. Pour Diderot, en effet, les Français, peuple poli d'un âge « philosophique », sont à la fois « sans mœurs » et sans énergie, à la différence, par exemple, des Russes ou des Américains, habitant des contrées neuves où l'on peut espérer une régénération morale et politique. **2.** Le terme *luxe* a au XVIIIe siècle une extension plus large qu'aujourd'hui. Elle suppose des progrès de la civilisation qui ne sont pas, loin de là, entièrement négatifs. Mais Diderot, en ce point et en ce moment précis, est plus proche des moralistes, des prédicateurs de son temps et de Rousseau que de Voltaire. **3.** Cette conversation a eu lieu, à peu de chose près, entre Diderot et le musicien Bemetzrieder, qui a donné des leçons de clavecin à sa fille Angélique, et avec lequel Diderot a composé un *Traité de clavecin et d'harmonie* en 1771, où l'anecdote est rapportée. Voir les notes 1 et 2, p. 52. **4.** Hugo De Groot, ou Grotius (1583-1645), fondateur du droit international public. Samuel Pufendorf (1632-1694), historien et juriste, son disciple, fut le fondateur de la théorie du droit naturel. Ils ont inspiré de manière décisive la pensée juridique et politique des Lumières.

à cœur la bonne éducation de leurs enfants, votre fortune serait faite ; mais il n'y en a point. — Je suis assez bon musicien. — Et que ne disiez-vous cela d'abord ! et pour vous faire voir le parti qu'on peut tirer de ce dernier talent, j'ai une fille. Venez tous les jours depuis sept heures et demie du soir, jusqu'à neuf ; vous lui donnerez leçon, et je vous donnerai vingt-cinq louis par an [1]. Vous déjeunerez, dînerez, goûterez, souperez avec nous. Le reste de votre journée vous appartiendra ; vous en disposerez à votre profit.

LUI. — Et cet homme qu'est-il devenu ?

MOI. — S'il eût été sage, il eût fait fortune, la seule chose qu'il paraît que vous ayez en vue.

LUI. — Sans doute [2]. De l'or, de l'or. L'or est tout ; et le reste, sans or, n'est rien. Aussi, au lieu de lui [3] farcir la tête de belles maximes qu'il faudrait qu'il oubliât, sous peine de n'être qu'un gueux ; lorsque je possède un louis, ce qui ne m'arrive pas souvent, je me plante devant lui. Je tire le louis de ma poche. Je le lui montre avec admiration. J'élève les yeux au ciel. Je baise le louis devant lui [4]. Et pour lui faire entendre mieux encore l'importance de la pièce sacrée, je lui bégaye de la voix ; je lui désigne du doigt tout ce qu'on en peut acquérir, un beau fourreau [5], un beau toquet [6], un bon biscuit. Ensuite je mets le louis dans ma poche. Je me promène avec fierté ; je relève la basque de ma veste ; je frappe de la main sur mon gousset ; et c'est ainsi que je lui fais concevoir que c'est du louis qui est là, que naît l'assurance qu'il me voit.

MOI. — On ne peut rien de mieux. Mais s'il arrivait

---

1. La somme que le maître de musique peut gagner est du tiers ou de la moitié supérieure à ce que lui rapporteraient des leçons de mathématiques. **2.** Au sens classique d'« assurément ». **3.** *Lui* : ce fils qu'il dit — et il faut le croire — aimer comme un fou. **4.** Le culte de l'or, nouveau veau d'or, donne lieu à une parodie de la messe. **5.** On dit « ... des *fourreaux* d'enfants, pour empêcher qu'ils ne gâtent leurs habits » (*Trévoux*). « Par extension, certaines robes d'enfants » (*Académie*). **6.** *Toquet.* « Bonnet d'enfant, et surtout de petite fille, ou de servante » (*Trévoux*).

que, profondément pénétré de la valeur du louis, un jour...

LUI. — Je vous entends[1]. Il faut fermer les yeux là-dessus. Il n'y a point de principe de morale qui n'ait son inconvénient. Au pis aller, c'est un mauvais quart d'heure, et tout est fini[2].

MOI. — Même d'après des vues si courageuses et si sages, je persiste à croire qu'il serait bon d'en faire un musicien. Je ne connais pas de moyen d'approcher plus rapidement des grands, de servir leurs vices, et de mettre à profit les siens.

LUI. — Il est vrai ; mais j'ai des projets d'un succès plus prompt et plus sûr. Ah ! si c'était aussi bien une fille ! Mais comme on ne fait pas ce qu'on veut, il faut prendre ce qui vient ; en tirer le meilleur parti ; et pour cela, ne pas donner bêtement, comme la plupart des pères qui ne feraient rien de pis, quand ils auraient médité le malheur de leurs enfants, l'éducation de Lacédémone, à un enfant destiné à vivre à Paris[3]. Si elle est mauvaise, c'est la faute des mœurs de ma nation, et non la mienne. En répondra qui pourra. Je veux que mon fils soit heureux ; ou ce qui revient au même honoré, riche et puissant. Je connais un peu les voies les plus faciles d'arriver à ce but ; et je les lui enseignerai de bonne heure. Si vous me blâmez, vous autres sages, la multitude et le succès m'absoudront. Il aura de l'or ; c'est moi qui vous le dis. S'il en a beaucoup, rien ne lui manquera, pas même votre estime et votre respect.

MOI. — Vous pourriez vous tromper.

LUI. — Ou il s'en passera, comme bien d'autres.

Il y avait dans tout cela beaucoup de ces choses qu'on pense, d'après lesquelles on se conduit ; mais qu'on ne dit pas. Voilà, en vérité, la différence la plus

---

1. Comprends. **2.** Soit que l'argent ait été volé, ou pis qu'il ait poussé le « petit sauvage » au meurtre. **3.** Face à l'ancienne Lacédémone, modèle de vertu civique, Paris est donnée pour la capitale du vice moderne.

marquée entre mon homme et la plupart de nos entours[1]. Il avouait les vices qu'il avait, que les autres ont ; mais il n'était pas hypocrite. Il n'était ni plus ni moins abominable qu'eux ; il était seulement plus franc, et plus conséquent ; et quelquefois profond dans sa dépravation[2]. Je tremblais de ce que son enfant deviendrait sous un pareil maître. Il est certain que d'après des idées d'institution aussi strictement calquées sur nos mœurs, il devait aller loin, à moins qu'il ne fût prématurément arrêté en chemin.

LUI. — Ho ne craignez rien, me dit-il... le point important, le point difficile auquel un bon père doit surtout s'attacher, ce n'est pas de donner à son enfant des vices qui l'enrichissent, des ridicules qui le rendent précieux aux grands ; tout le monde le fait, sinon de système[3] comme moi, mais au moins d'exemple et de leçon ; mais de lui marquer la juste mesure, l'art d'esquiver à la honte[4], au déshonneur et aux lois. Ce sont des dissonances dans l'harmonie sociale qu'il faut savoir placer, préparer et sauver. Rien de si plat qu'une suite d'accords parfaits. Il faut quelque chose qui pique, qui sépare le faisceau, et qui en éparpille les rayons[5].

MOI. — Fort bien. Par cette comparaison, vous me ramenez des mœurs, à la musique dont je m'étais écarté malgré moi ; et je vous en remercie ; car, à ne

---

1. Voir la note 2, p. 30. **2.** La profonde conséquence dans la dépravation de Jean-François Rameau s'accompagne d'inconséquences dans son comportement. **3.** *De système* : de manière systématique. **4.** *Esquiver à la honte* : y échapper. **5.** On notera le transport métaphorique du discours théorique musical dans le domaine de l'éducation et de la morale, et à l'inverse l'emprunt au registre de la physiologie (*faisceau*, *rayons*, voir les notes 2 et 3, p. 123). La *dissonance*, « en musique, est tout accord désagréable à l'oreille, tout intervalle qui n'est pas consonant ; et comme il n'y a point d'autre consonances que celles que forment entre eux les sons de l'accord parfait (voyez CONSONANCE), il s'ensuit que tout autre intervalle est une véritable dissonance... » (J.-J. Rousseau, art. DISSONANCE, *Encyclopédie*). « En musique, SAUVER une dissonance, c'est la résoudre selon les règles, sur une consonance de l'accord suivant » (art. SAUVER, *Encyclopédie*). Voir la note 3, p. 49.

vous rien celer, je vous aime mieux musicien que moraliste.

LUI. — Je suis pourtant bien subalterne en musique, et bien supérieur en morale.

MOI. — J'en doute ; mais quand cela serait, je suis un bon homme [1], et vos principes ne sont pas les miens.

LUI. — Tant pis pour vous. Ah ! si j'avais vos talents.

MOI. — Laissons mes talents ; et revenons aux vôtres.

LUI. — Si je savais m'énoncer [2] comme vous. Mais j'ai un diable de ramage saugrenu, moitié des gens du monde et des lettres, moitié de la halle.

MOI. — Je parle mal. Je ne sais que dire la vérité : et cela ne prend pas toujours, comme vous savez.

LUI. — Mais ce n'est pas pour dire la vérité ; au contraire, c'est pour bien dire le mensonge que j'ambitionne votre talent. Si je savais écrire ; fagoter [3] un livre, tourner une épître dédicatoire, bien enivrer un sot de son mérite ; m'insinuer auprès des femmes.

MOI. — Et tout cela, vous le savez mille fois mieux que moi. Je ne serais pas même digne d'être votre écolier.

LUI. — Combien de grandes qualités perdues, et dont vous ignorez le prix !

MOI. — Je recueille tout celui que j'y mets.

LUI. — Si cela était, vous n'auriez pas cet habit grossier, cette veste d'étamine [4], ces bas de laine, ces souliers épais, et cette antique perruque.

MOI. — D'accord. Il faut être bien maladroit, quand on n'est pas riche, et que l'on se permet tout pour le devenir [5]. Mais c'est qu'il y a des gens comme moi qui

---

1. Voir la note 4, p. 29. **2.** *M'énoncer* : m'exprimer. **3.** Au sens figuré : « Mettre en mauvais ordre, mal arranger, habiller d'une façon plaisante et ridicule. [...] On dit qu'un homme est *fagoté* d'une étrange sorte quand il est mal fait, mal bâti » (*Trévoux*). **4.** L'*étamine* est une étoffe légère. De même, porter la perruque en ville n'était pas à l'époque un signe de distinction sociale. Cette habitude d'Ancien Régime ne survécut pas à la Révolution. **5.** Comprenons : « Il faut être maladroit pour ne pas être riche, quand on se permet tout pour le devenir. »

ne regardent pas la richesse comme la chose du monde la plus précieuse ; gens bizarres.

LUI. — Très bizarres. On ne naît pas avec cette tournure-là. On se la donne ; car elle n'est pas dans la nature.

MOI. — De l'homme ?

LUI. — De l'homme. Tout ce qui vit, sans l'en excepter, cherche son bien-être aux dépens de qui il appartiendra ; et je suis sûr que, si je laissais venir le petit sauvage, sans lui parler de rien : il voudrait être richement vêtu, splendidement nourri, chéri des hommes, aimé des femmes, et rassembler sur lui tous les bonheurs de la vie.

MOI. — Si le petit sauvage était abandonné à lui-même ; qu'il conservât toute son imbécillité[1] et qu'il réunît au peu de raison de l'enfant au berceau, la violence des passions de l'homme de trente ans, il tordrait le cou à son père, et coucherait avec sa mère[2].

LUI. — Cela prouve la nécessité d'une bonne éducation ; et qui est-ce qui la conteste ? et qu'est-ce qu'une bonne éducation, sinon celle qui conduit à toutes sortes de jouissances, sans péril, et sans inconvénient.

MOI. — Peu s'en faut que je ne sois de votre avis ; mais gardons-nous de nous expliquer.

---

1. *Imbécillité* : ce terme employé pour désigner les petits enfants ne signifie pas « absence d'intelligence » mais « absence de raison ».
2. « Supposez qu'un enfant eût à six semaines l'imbécillité du jugement de son âge, et les passions et la force d'un homme de quarante ans, il est certain qu'il frappera son père, qu'il violera sa mère, qu'il étranglera sa nourrice, et qu'il n'y aura nulle sécurité pour tout ce qui l'approchera », dit l'article HOBBISME rédigé par Diderot. L'influence de Hobbes sur Diderot est patente. Mais, à la différence de l'auteur du *De cive*, pour qui le méchant est un enfant robuste (*Malus est robustus puer*), Diderot conclut que l'éducation est nécessaire : « L'homme devient bon à mesure qu'il s'instruit » (*id.*). Diderot est à la fois en désaccord avec Hobbes, qui ne voit de solution que dans un pouvoir absolu pour assurer l'ordre social, avec Rousseau, qui réfute Hobbes parce que l'homme « naturel » est amoral (ni bon ni méchant, puisqu'il est, par hypothèse, hors de la société), et avec LUI, dont le « hobbisme » spontané mais conséquent est d'un total pessimisme quant à la « nature de l'homme » et aux vertus de l'éducation.

LUI. — Pourquoi ?

MOI. — C'est que je crains que nous ne soyons d'accord qu'en apparence ; et que, si nous entrons une fois dans la discussion des périls et des inconvénients à éviter, nous ne nous entendions plus.

LUI. — Et qu'est-ce que cela fait ?

MOI. — Laissons cela, vous dis-je. Ce que je sais là-dessus, je ne vous l'apprendrais pas ; et vous m'instruirez plus aisément de ce que j'ignore et que vous savez en musique. Cher Rameau, parlons musique, et dites-moi comment il est arrivé qu'avec la facilité de sentir, de retenir et de rendre les plus beaux endroits des grands maîtres ; avec l'enthousiasme qu'ils vous inspirent et que vous transmettez aux autres, vous n'ayez rien fait qui vaille.

Au lieu de me répondre, il se mit à hocher de la tête, et levant le doigt au ciel, il ajouta : Et l'astre ! l'astre ! Quand la nature fit Leo [1], Vinci [2], Pergolèse, Duni [3], elle sourit. Elle prit un air imposant et grave, en formant le cher oncle Rameau qu'on aura appelé pendant une dizaine d'années le grand Rameau et dont bientôt on ne parlera plus. Quand elle fagota [4] son neveu, elle fit la grimace et puis la grimace, et puis la grimace encore ; et en disant ces mots, il faisait toutes sortes de grimaces du visage ; c'était le mépris, le dédain, l'ironie : et il semblait pétrir entre ses doigts un morceau de pâte, et sourire aux formes ridicules qu'il lui donnait. Cela fait, il jeta la pagode hétéroclite [5] loin de lui ; et il dit : C'est ainsi qu'elle me fit et qu'elle me jeta, à côté d'autres pagodes [6], les unes à gros ventres ratatinés, à cous courts, à gros yeux hors de la tête, apo-

---

1. Leonardo Leo (1694-1746), compositeur napolitain de musique sacrée et d'opéras, disciple de Scarlatti. Il eut pour élèves Jommelli et Piccini. **2.** Leonardo Vinci (1696-1730), auteur de comédies musicales et d'opéras, directeur de la chapelle royale de Naples après la mort de Scarlatti. **3.** Pour Pergolèse, voir la note 5, p. 110. Pour Duni, voir la note 1, p. 106. **4.** Voir la note 3, p. 129. **5.** *Hétéroclite* : qui s'écarte des règles, ridicule, bizarre. **6.** Voir la note 1, p. 72.

plectiques ; d'autres à cous obliques ; il y en avait de sèches, à l'œil vif, au nez crochu : toutes se mirent à crever de rire, en me voyant ; et moi, de mettre mes deux poings sur mes côtés, et à crever de rire, en les voyant ; car les sots et les fous s'amusent les uns des autres ; ils se cherchent, ils s'attirent. Si, en arrivant là, je n'avais pas trouvé tout fait le proverbe qui dit que *l'argent des sots est le patrimoine des gens d'esprit*, on me le devrait. Je sentis que nature avait mis ma légitime[1] dans la bourse des pagodes ; et j'inventai mille moyens de m'en ressaisir.

MOI. — Je sais ces moyens ; vous m'en avez parlé, et je les ai fort admirés. Mais entre tant de ressources, pourquoi n'avoir pas tenté celle d'un bel ouvrage ?

LUI. — Ce propos est celui d'un homme du monde à l'abbé Le Blanc[2]... L'abbé disait : La marquise de Pompadour me prend sur la main ; me porte jusque sur le seuil de l'Académie ; là elle retire sa main. Je tombe, et je me casse les deux jambes... L'homme du monde lui répondait : Hé bien, l'abbé, il faut se relever, et enfoncer la porte d'un coup de tête... L'abbé lui répliquait : C'est ce que j'ai tenté ; et savez-vous ce qui m'en est revenu, une bosse au front.

Après cette historiette, mon homme se mit à marcher la tête baissée, l'air pensif et abattu ; il soupirait, pleurait, se désolait, levait les mains et les yeux, se frappait la tête du poing, à se briser le front ou les doigts, et il ajoutaït : Il me semble qu'il y a pourtant là quelque chose ; mais j'ai beau frapper, secouer, il ne sort rien. Puis il recommençait à secouer sa tête et à se frapper le front de plus belle, et il disait : Ou il n'y a personne, ou l'on ne veut pas répondre.

Un instant après, il prenait un air fier, il relevait sa tête, il s'appliquait la main droite sur le cœur ; il mar-

---

1. « Part ; droit que la loi donne aux enfants seulement sur les droits de leurs père et mère, et qui leur est acquis ; en sorte qu'on ne les en peut priver par une disposition contraire » (*Trévoux*). **2.** Abbé Le Blanc : voir la note 5, p. 85.

chait et disait : Je sens, oui, je sens. Il contrefaisait l'homme qui s'irrite, qui s'indigne, qui s'attendrit, qui commande, qui supplie, et prononçait, sans préparation, des discours de colère, de commisération, de haine, d'amour ; il esquissait les caractères des passions avec une finesse et une vérité surprenantes. Puis il ajoutait : C'est cela, je crois. Voilà que cela vient ; voilà ce que c'est que de trouver un accoucheur qui sait irriter, précipiter les douleurs, et faire sortir l'enfant ; seul, je prends la plume ; je veux écrire. Je me ronge les ongles ; je m'use le front. Serviteur. Bonsoir. Le dieu est absent ; je m'étais persuadé que j'avais du génie ; au bout de ma ligne, je lis que je suis un sot, un sot, un sot. Mais le moyen de sentir, de s'élever, de penser, de peindre fortement, en fréquentant avec des gens, tels que ceux qu'il faut voir pour vivre ; au milieu des propos qu'on tient, et de ceux qu'on entend, et de ce commérage : Aujourd'hui le boulevard [1] était charmant. Avez-vous entendu la petite marmotte [2] ? elle joue à ravir. M. un tel avait le plus bel attelage gris pommelé qu'il soit possible d'imaginer. La belle madame celle-ci commence à passer. Est-ce qu'à l'âge de quarante-cinq ans, on porte une coiffure comme celle-là. La jeune une telle est couverte de diamants qui ne lui coûtent guère. — Vous voulez dire qui lui coûtent cher ? — Mais non. — Où l'avez-vous vue ? À *L'Enfant d'Arlequin perdu et retrouvé* [3]. La scène du

---

1. Le long des boulevards au nord de Paris s'étaient multipliés au XVIIIe siècle commerces, forains et bateleurs. À partir de 1759, les théâtres non privilégiés (à la différence de la Comédie-Française et de l'Opéra) avaient obtenu l'autorisation de s'installer sur ces lieux de promenade fort fréquentés. Ils doublèrent les théâtres de la Foire et de l'Opéra-Comique. **2.** Attesté depuis le *Dictionnaire de Richelet* (1680) comme féminin de *marmot*. L'origine se trouverait dans l'ambigu de Favart, la *Soirée des Boulevards*, donné par la Comédie-Italienne en 1758. Mme Bontour, jouée par Mme Favart, est déguisée en *marmotte*, c'est-à-dire en Savoyarde ; elle danse et chante en s'accompagnant du triangle. « Je crois qu'elle est jolie au moins, la petite marmotte », dit le mari. **3.** Comédie adaptée de Goldoni donnée par la Comédie-Italienne à Paris en 1761.

désespoir a été jouée, comme elle ne l'avait pas encore été. Le Polichinelle de la foire[1] a du gosier, mais point de finesse, point d'âme. Madame une telle est accouchée de deux enfants à la fois. Chaque père aura le sien... Et vous croyez que cela dit, redit et entendu tous les jours, échauffe et conduit aux grandes choses ?

MOI. — Non. Il vaudrait mieux se renfermer dans son grenier, boire de l'eau, manger du pain sec, et se chercher soi-même.

LUI. — Peut-être ; mais je n'en ai pas le courage ; et puis sacrifier son bonheur à un succès incertain. Et le nom que je porte donc ? Rameau ! s'appeler Rameau, cela est gênant. Il n'en est pas des talents comme de la noblesse qui se transmet et dont l'illustration s'accroît en passant du grand-père au père, du père au fils, du fils à son petit-fils, sans que l'aïeul impose quelque mérite à son descendant. La vieille souche se ramifie en une énorme tige de sots ; mais qu'importe ? Il n'en est pas ainsi du talent. Pour n'obtenir que la renommée de son père, il faut être plus habile[2] que lui. Il faut avoir hérité de sa fibre[3]. La fibre m'a manqué ; mais le poignet s'est dégourdi ; l'archet marche, et le pot bout. Si ce n'est pas de la gloire, c'est du bouillon.

MOI. — À votre place, je ne me le tiendrais pas pour dit ; j'essaierais.

LUI. — Et vous croyez que je n'ai pas essayé. Je n'avais pas quinze ans, lorsque je me dis, pour la première fois : qu'as-tu, Rameau ? tu rêves[4]. Et à quoi rêves-tu ? que tu voudrais bien avoir fait ou faire quelque chose qui excitât l'admiration de l'univers. Hé, oui ; il n'y a qu'à souffler et remuer les doigts[5]. Il n'y

---

1. Personnage traditionnel de la *commedia dell'arte*, Polichinelle avait conservé sa place dans les pièces de la foire Saint-Laurent, qui se tenait en août. **2.** Voir la note 1, p. 49. **3.** Voir la note 2, p. 123. **4.** Voir la note 2, p. 54. **5.** « Quand un homme s'imagine qu'une chose est aisée, quoi qu'elle soit fort difficile, on dit qu'*il croit qu'il n'y a qu'à souffler et remuer les doigts* » *(Dictionnaire comique* de Leroux, article SOUFFLER). Voir la note 1, p. 135.

a qu'à ourler[1] le bec, et ce sera une cane. Dans un âge plus avancé, j'ai répété le propos de mon enfance. Aujourd'hui je le répète encore ; et je reste autour de la statue de Memnon[2].

MOI. — Que voulez-vous dire avec votre statue de Memnon ?

LUI. — Cela s'entend, ce me semble. Autour de la statue de Memnon, il y en avait une infinité d'autres également frappées des rayons du soleil ; mais la sienne était la seule qui résonnât. Un poète, c'est de Voltaire[3] ; et puis qui encore ? de Voltaire ; et le troisième, de Voltaire ; et le quatrième, de Voltaire. Un musicien, c'est Rinaldo da Capua[4] ; c'est Hasse[5] ; c'est Pergolèse ; c'est Alberti[6] ; c'est Tartini[7] ; c'est Locatelli ; c'est Terradeglias ; c'est mon oncle ; c'est ce petit Duni[8] qui n'a ni mine, ni figure ; mais qui sent, mordieu, qui a du chant et de l'expression. Le reste, autour de ce petit nombre de Memnons, autant de paires d'oreilles fichées au bout d'un bâton. Aussi sommes-nous gueux, si gueux que c'est une bénédiction. Ah, monsieur le philosophe, la misère est une ter-

---

1. *Ourler*. Il s'agit bien de la cane (et non de la canne, l'orthographe étant encore flottante au XVIIIe siècle) comme il ressort du passage des *Curiosités françaises* de Oudin, où le proverbe est cité tout entier : « Il ne reste plus que le bec à ourler et le cul à coudre et puis ce sera une cane. » Voir aussi le *Dictionnaire comique* de Leroux à l'article CANNE. Comme le précédent (voir la note 5, p. 134), ce dicton s'applique à ceux qui prennent facilement leurs rêves pour des réalités. **2.** Héros de la guerre de Troie dont la statue avait la propriété de vibrer au soleil. **3.** De Voltaire : voir la note 3, p. 29. **4.** Rinaldo da Capua (1717-1765), compositeur napolitain, avait été révélé aux Français par la troupe des Bouffons, en 1752 et 1753, avec *La Donna superba* et *Zinguara*. **5.** Pour Hasse, voir la note 9, p. 118. Pour Pergolèse, voir la note 5, p. 110. **6.** Domenico Alberti (1710-1740), compositeur et claveciniste italien. **7.** Guiseppe Tartini (1692-1770), violoniste et compositeur. Il passe pour le plus grand virtuose de son temps. **8.** Pour Locatelli, voir la note 1, p. 47. Pour Terradeglias, voir la note 1, p. 119. Pour J.-Ph. Rameau (musicien), voir la note 3, p. 21. Pour Duni, voir la note 1, p. 106.

rible chose. Je la vois accroupie, la bouche béante, pour recevoir quelques gouttes de l'eau glacée qui s'échappe du tonneau des Danaïdes[1]. Je ne sais si elle aiguise l'esprit du philosophe ; mais elle refroidit diablement la tête du poète. On ne chante pas bien sous ce tonneau. Trop heureux encore, celui qui peut s'y placer. J'y étais ; et je n'ai pas su m'y tenir. J'avais déjà fait cette sottise une fois. J'ai voyagé en Bohême, en Allemagne, en Suisse, en Hollande, en Flandres ; au diable, au vert[2].

MOI. — Sous le tonneau percé.

LUI. — Sous le tonneau percé ; c'était un juif opulent et dissipateur qui aimait la musique et mes folies. Je musiquais, comme il plaît à Dieu ; je faisais le fou ; je ne manquais de rien. Mon juif était un homme qui savait sa loi, et qui l'observait raide comme une barre, quelquefois avec l'ami, toujours avec l'étranger. Il se fit une mauvaise affaire qu'il faut que je vous raconte, car elle est plaisante. Il y avait à Utrecht une courtisane charmante. Il fut tenté de la chrétienne ; il lui dépêcha un grison[3], avec une lettre de change assez forte. La bizarre créature rejeta son offre. Le juif en fut désespéré. Le grison lui dit : Pourquoi vous affliger ainsi ?

---

1. L'image du tonneau des Danaïdes est un peu déplacée. On sait que, dans la mythologie grecque, ce tonneau sans fond se vidait au fur et à mesure qu'il se remplissait. À côté des torrents de jouissance déversés pour ou par d'autres, il désigne ici les espoirs et la misère du Neveu, qui le réduisent à ne devoir se satisfaire que de gouttes rares et glacées — comme son inspiration. **2.** Diverses explications sont avancées pour cette expression ancienne et toujours employée aujourd'hui, avec quelques variantes. Le château de Vauvert, construit au xe siècle au sud de la rue Monsieur-le-Prince, serait devenu le repaire de truands, d'où l'expression « aller au diable vauvert ». Quoi qu'il en soit, l'expression signifie « au loin, dans on ne sait quel lieu éloigné, peu sûr ». Quant au Neveu historique, rien ne laisse penser qu'il ait voyagé. Diderot semble inventer le fait pour introduire l'histoire du juif d'Utrecht, qu'il a lui-même rapportée dans son *Voyage en Hollande*. L'affaire se passait à La Haye et le « héros » n'en était pas juif. **3.** « Se dit [...] par raillerie des laquais des gens de qualité qui ne portent point de couleurs, et qui leur servent d'espions ou de messagers secrets » (*Trévoux*).

vous voulez coucher avec une jolie femme ; rien n'est plus aisé, et même de coucher avec une plus jolie que celle que vous poursuivez. C'est la mienne, que je vous céderai au même prix. Fait et dit. Le grison garde la lettre de change, et mon juif couche avec la femme du grison. L'échéance de la lettre de change[1] arrive. Le juif la laisse protester et s'inscrit en faux[2]. Procès. Le juif disait : Jamais cet homme n'osera dire à quel titre il possède ma lettre, et je ne la paierai pas. À l'audience, il interpelle le grison... Cette lettre de change, de qui la tenez-vous ? — De vous. — Est-ce pour de l'argent prêté ? — Non. — Est-ce pour fourniture de marchandise ? — Non. — Est-ce pour services rendus ? — Non. Mais il ne s'agit point de cela. J'en suis possesseur. Vous l'avez signée, et vous l'acquitterez. — Je ne l'ai point signée. — Je suis donc un faussaire ? — Vous ou un autre dont vous êtes l'agent. — Je suis un lâche, mais vous êtes un coquin. Croyez-moi, ne me poussez pas à bout. Je dirai tout. Je me déshonorerai, mais je vous perdrai... Le juif ne tint compte de la menace ; et le grison révéla toute l'affaire, à la séance qui suivit. Ils furent blâmés tous les deux ; et le juif condamné à payer la lettre de change, dont la valeur fut appliquée au soulagement des pauvres. Alors je me séparai de lui. Je revins ici. Quoi faire ? car il fallait périr de misère, ou faire quelque chose. Il me passa toutes sortes de projets par la tête. Un jour, je partais le lendemain pour me jeter dans une troupe de province, également bon ou mauvais pour le théâtre ou pour l'orchestre ; le lendemain, je songeais à me faire

---

1. La lettre de change est un billet par lequel le souscripteur enjoint à une tierce personne de payer à une époque déterminée, à l'ordre de telle personne dénommée, une somme définie. La lettre de change pouvait être endossée par des tiers, ce qui aggravait d'autant le risque de plainte ou de scandale en cas de non-paiement. Comme elle était placée sous la protection des lois du commerce, le défaut de paiement entraînait une « contrainte par corps », c'est-à-dire l'emprisonnement.
2. *Protester et s'inscrire en faux*, pour le souscripteur, c'est contester la signature de la personne qui présente la lettre de change, la dénoncer comme irrégulière.

peindre un de ces tableaux attachés à une perche qu'on plante dans un carrefour, et où j'aurais crié à tue-tête : Voilà la ville où il est né ; le voilà qui prend congé de son père l'apothicaire[1] ; le voilà qui arrive dans la capitale, cherchant la demeure de son oncle ; le voilà aux genoux de son oncle qui le chasse ; le voilà avec un juif ; et cætera et cætera[2]. Le jour suivant, je me levais bien résolu de m'associer aux chanteurs des rues ; ce n'est pas ce que j'aurais fait de plus mal ; nous serions allés concerter sous les fenêtres du cher oncle qui en serait crevé de rage. Je pris un autre parti.

Là il s'arrêta, passant successivement de l'attitude d'un homme qui tient un violon, serrant des cordes à tour de bras, à celle d'un pauvre diable exténué de fatigue, à qui les forces manquent, dont les jambes flageolent, prêt à expirer, si on ne lui jette un morceau de pain ; il désignait son extrême besoin, par le geste d'un doigt dirigé vers sa bouche entrouverte ; puis il ajouta : Cela s'entend. On me jetait le lopin[3]. Nous nous le disputions à trois ou quatre affamés que nous étions ; et puis pensez grandement ; faites de belles choses, au milieu d'une pareille détresse.

MOI. — Cela est difficile.

LUI. — De cascade en cascade, j'étais tombé là[4]. J'y étais comme un coq en pâte. J'en suis sorti. Il faudra derechef scier le boyau[5], et revenir au geste du doigt vers la bouche béante. Rien de stable dans ce monde. Aujourd'hui, au sommet ; demain au bas de la roue. De maudites circonstances nous mènent ; et nous mènent fort mal.

Puis buvant un coup qui restait au fond de la bou-

---

1. Voir la note 1, p. 41. **2.** Diderot, évoquant ce spectacle de rue, reprend les expressions utilisées traditionnellement pour attirer l'attention du public sur les moments successifs d'une vie « picaresque ». **3.** Morceau de quelque chose qui se mange, principalement de viande. **4.** Chez Bertin. **5.** Expression imagée et populaire pour dire « manier l'archet », « jouer du violon ».

teille et s'adressant à son voisin : Monsieur, par charité, une petite prise. Vous avez là une belle boîte[1] ? Vous n'êtes pas musicien ? — Non. — Tant mieux pour vous ; car ce sont de pauvres bougres bien à plaindre. Le sort a voulu que je le fusse, moi ; tandis qu'il y a, à Montmartre[2] peut-être, dans un moulin, un meunier, un valet de meunier qui n'entendra jamais que bruit du cliquet, et qui aurait trouvé les plus beaux chants. Rameau, au moulin ? Au moulin, c'est là ta place.

MOI. — À quoi que ce soit que l'homme s'applique, la nature l'y destinait[3].

LUI. — Elle fait d'étranges bévues. Pour moi je ne vois pas de cette hauteur où tout se confond, l'homme qui émonde un arbre avec des ciseaux, la chenille qui en ronge la feuille, et d'où l'on ne voit que deux insectes différents, chacun à son devoir. Perchez-vous sur l'épicycle de Mercure[4] : et de là, distribuez, si cela

---

1. *Boîtes* : tabatières, dont on sait combien elles étaient appréciées au XVIIIe siècle. Certaines étaient des chefs d'œuvre. **2.** À partir de 1760, note H. Coulet, Paris s'étend au-delà des boulevards, et l'on commence à bâtir le faubourg Montmartre. Mais la butte Montmartre est encore la campagne et se couronne de moulins. **3.** Diderot (comme MOI) est partisan d'une rigoureuse philosophie de la nécessité. Mais il se distingue d'Helvétius, par exemple (*Réfutation de l'homme d'Helvétius*) en ce qu'il n'accorde pas à l'éducation la faculté de modifier positivement et à coup sûr les facultés du sujet. En revanche, il reproche au Neveu de faire de la fameuse « fibre » paternelle (autrement dit de l'hérédité) un alibi de sa paresse et de sa dépravation. C'est ainsi, semble-t-il, qu'il faut comprendre la formule resserrée dont use MOI, qui le situe entre matérialisme mécaniste et hédonisme cynique. **4.** L'expression vient de l'astronomie antique. Pour expliquer les mouvements apparents du Soleil et des planètes supérieures (Mars et au-delà) autour de la Terre, la représentation dite de Ptolémée avait imaginé des rotations secondaires autour d'un point situé sur leur orbite. L'explication, aussi ingénieuse que complexe, et que l'hypothèse héliocentriste allait ruiner, perdait toute nécessité pour les planètes inférieures (Vénus, Mercure). Quoi qu'il en soit, comme il le dira plus loin, Diderot emprunte cette expression à Montaigne (*Essais*, I, 26 et II, 27), un auteur qui lui est cher. Il s'agit de se moquer d'une philosophie purement spéculative qui voit les choses confusément et de trop loin.

vous convient, et à l'imitation de Réaumur[1], lui la classe des mouches en couturières, arpenteuses, faucheuses, vous, l'espèce des hommes, en hommes menuisiers, charpentiers, coureurs, danseurs, chanteurs, c'est votre affaire. Je ne m'en mêle pas. Je suis dans ce monde et j'y reste. Mais s'il est dans la nature d'avoir appétit ; car c'est toujours à l'appétit que j'en reviens, à la sensation qui m'est toujours présente, je trouve qu'il n'est pas du bon ordre de n'avoir pas toujours de quoi manger. Que diable[2] d'économie, des hommes qui regorgent de tout, tandis que d'autres qui ont un estomac importun comme eux, une faim renaissante comme eux, et pas de quoi mettre sous la dent. Le pis, c'est la posture contrainte où nous tient le besoin. L'homme nécessiteux ne marche pas comme un autre ; il saute, il rampe, il se tortille, il se traîne ; il passe sa vie à prendre et à exécuter des positions.

MOI. — Qu'est-ce que des positions ?

LUI. — Allez le demander à Noverre[3]. Le monde en offre bien plus que son art n'en peut imiter.

MOI. — Et vous voilà, aussi, pour me servir de votre expression, ou de celle de Montaigne, *perché sur l'épicycle de Mercure*, et considérant les différentes pantomimes de l'espèce humaine[4].

LUI. — Non, non, vous dis-je. Je suis trop lourd pour

---

1. René Antoine Ferchault de Réaumur (1683-1757), important entomologiste et physicien, auteur chargé par l'Académie des Sciences de la *Description des Arts et des Métiers*, et des *Mémoires pour servir à l'histoire des insectes* (1734-1742). Diderot cite plusieurs fois Réaumur et le critique, notamment pour son « méthodisme », qu'il juge excessif. De son côté Réaumur a accusé les encyclopédistes de plagiat. **2.** Formule un peu étrange mais compréhensible : voir la note 2, p. 100. **3.** Jean Georges Noverre (1737-1810), célèbre maître de ballet à l'Opéra-Comique de 1753 à 1756, auteur en 1759 des *Lettres sur la danse et sur les ballets* où sont définies les cinq « positions » (manières de poser les pieds l'un par rapport à l'autre). Noverre cite Diderot avec éloges, car il le considère (depuis les *Entretiens sur le Fils naturel*) comme un précurseur de sa théorie de la pantomime. **4.** Voir la note 4, p. 139. MOI renvoie la critique à LUI : vous aussi vous fabriquez des systèmes.

m'élever si haut. J'abandonne aux grues [1] le séjour des brouillards. Je vais terre à terre. Je regarde autour de moi ; et je prends mes positions, ou je m'amuse des positions que je vois prendre aux autres. Je suis excellent pantomime ; comme vous en allez juger.

Puis il se met à sourire, à contrefaire l'homme admirateur, l'homme suppliant, l'homme complaisant ; il a le pied droit en avant, le gauche en arrière, le dos courbé, la tête relevée, le regard comme attaché sur d'autres yeux, la bouche entrouverte, les bras portés vers quelque objet ; il attend un ordre, il le reçoit ; il part comme un trait ; il revient, il est exécuté ; il en rend compte. Il est attentif à tout ; il ramasse ce qui tombe ; il place un oreiller ou un tabouret sous des pieds ; il tient une soucoupe, il approche une chaise, il ouvre une porte ; il ferme une fenêtre ; il tire des rideaux ; il observe le maître et la maîtresse ; il est immobile, les bras pendants ; les jambes parallèles ; il écoute ; il cherche à lire sur des visages ; et il ajoute : Voilà ma pantomime [2], à peu près la même que celle des flatteurs, des courtisans, des valets et des gueux.

Les folies de cet homme, les contes de l'abbé Galiani [3],

---

1. Les *grues,* selon une croyance ancienne, se nourrissaient de brouillards au cours de leur migration. Au sens figuré une *grue* est un niais qui se laisse mystifier. Ici, les *grues* sont ceux qui s'en tiennent aux apparences mais aussi aux théories fumeuses. Le Neveu, lui, prétend être dans la pratique, qu'il élève à demi ironiquement au statut d'art. **2.** À partir des « positions », on assiste à une généralisation de la notion de pantomime, mais aussi à son inscription dans le registre artistique, en l'espèce chorégraphique. Comme l'indique l'occurrence suivante du mot, dans la réplique de LUI, ce terme désigne aussi, au masculin ou au féminin, l'homme ou la femme qui effectue la pantomime. **3.** Ferdinando abbé Galiani (1728-1787), né à Naples, secrétaire d'ambassade à Paris de 1759 à 1769, était un ami de Diderot, qui l'a souvent rencontré chez le baron d'Holbach au Grandval et qui a rapporté ses « contes » dans ses lettres à Sophie. « Les contes de l'abbé sont bons, mais il les joue supérieurement. On n'y tient pas. [...] C'est qu'il est pantomime de la tête aux pieds. » Galiani a laissé un *Dialogue sur le commerce du blé* et une précieuse correspondance avec Mme d'Épinay.

les extravagances de Rabelais[1] m'ont quelquefois fait rêver[2] profondément. Ce sont trois magasins où je me suis pourvu de masques ridicules que je place sur le visage des plus graves personnages ; et je vois Pantalon[3] dans un prélat, un satyre dans un président[4], un pourceau dans un cénobite, une autruche dans un ministre, une oie dans son premier commis[5]. Mais à votre compte, dis-je à mon homme, il y a bien des gueux dans ce monde-ci ; et je ne connais personne qui ne sache quelque pas de votre danse.

LUI. — Vous avez raison. Il n'y a dans tout un royaume qu'un homme qui marche, c'est le souverain. Tout le reste prend des positions.

MOI. — Le souverain ? encore y a-t-il quelque chose à dire ? Et croyez-vous qu'il ne se trouve pas, de temps en temps, à côté de lui, un petit pied, un petit chignon, un petit nez qui lui fasse faire un peu de la pantomime. Quiconque a besoin d'un autre, est indigent et prend une position. Le roi prend une position devant sa maîtresse et devant Dieu ; il fait son pas de pantomime. Le ministre fait le pas de courtisan, de flatteur, de valet ou de gueux devant son roi. La foule des ambitieux dansent vos positions, en cent manières plus viles les unes que les autres, devant le ministre. L'abbé de condition[6] en rabat, et en manteau long, au moins

---

1. Autant que de Montaigne, Diderot était un admirateur de Rabelais, comme *Jacques le Fataliste* le montre également. Voir la note 2, p. 26. **2.** *Rêver* : voir la note 2, p. 54. **3.** Masque de la *commedia dell'arte*, Pantalon est un vieillard pédant, amoureux et dupé. **4.** Un magistrat. **5.** Le *premier commis* est le principal collaborateur du ministre. Pour ce qui est de la comparaison entre les caractères humains et les espèces animales, la *Satire seconde* est dans le droit fil de la *Satire première* : « ... cette prérogative qui nous est propre, et qu'on appelle raison, [...] correspond seule à toute la diversité de l'instinct des animaux ». **6.** Outre son sens originel, *abbé* — on en trouve maint exemple dans les pages de la satire — était un nom générique donné à l'époque à toutes sortes de personnes portant un habit ecclésiastique et faisant carrière dans l'Église, notamment les abbés de *condition* (nobles, ou de bonne famille). Le *rabat* était une pièce de toile, en dentelle ou non, qui tombait sur le devant de la poitrine (voir la note 2, p. 147).

une fois la semaine, devant le dépositaire de la feuille des bénéfices[1]. Ma foi, ce que vous appelez la pantomime des gueux[2], est le grand branle[3] de la terre. Chacun a sa petite Hus et son Bertin[4].

LUI. — Cela me console.

Mais tandis que je parlais, il contrefaisait à mourir de rire, les positions des personnages que je nommais ; par exemple, pour le petit abbé, il tenait son chapeau sous le bras, et son bréviaire de la main gauche ; de la droite, il relevait la queue de son manteau ; il s'avançait la tête un peu penchée sur l'épaule, les yeux baissés, imitant si parfaitement l'hypocrite que je crus voir l'auteur des *Réfutations* devant l'évêque d'Orléans[5]. Aux flatteurs, aux ambitieux, il était ventre à terre. C'était Bouret[6], au contrôle général.

MOI. — Cela est supérieurement exécuté, lui dis-je. Mais il y a pourtant un être dispensé de la pantomime.

---

1. Le *dépositaire de la feuille des bénéfices*, c'est-à-dire des offices ecclésiastiques rapportant des revenus, était un personnage très influent et très courtisé. C'est lui qui, au nom du roi, dressait la « liste » des heureux bénéficiaires. Diderot eut à se plaindre de l'un d'entre eux, Boyer, évêque de Mirepoix, ami des jésuites, qui fut à l'origine de l'interdiction de l'*Encyclopédie* en 1752. Mgr de Jarente, évêque d'Orléans, lui succéda (voir la note 5, p. 143). **2.** Le terme *gueux* revient en force dans ce *finale*. **3.** Le *branle*, terme qu'utilise Montaigne dans le sens général de « mouvement », « agitation », et dont Diderot se souvient ici, désigne par ailleurs un ensemble de danses, gaies ou sérieuses, populaires ou de cour. **4.** Pour Mlle Hus, voir la note 5, p. 41. Pour Bertin, voir la note 3, p. 55. **5.** L'auteur des *Lettres critiques ou Analyses et réfutation de divers écrits modernes sur la religion*, en 19 volumes (1755-1763), est l'abbé Gabriel Gauchat, chanoine de la cathédrale de Langres, qui avait critiqué les *Pensées philosophiques* et s'était entremis (en vain) en 1770 avec Denise Diderot pour réconcilier ses frères, Denis le Philosophe et le chanoine Didier-Pierre. L'évêque d'Orléans est Louis Sextus de Jarente de la Bruyère, dépositaire de la feuille des bénéfices de 1758 à 1788. Voir la note 1, p. 143. **6.** Pour Bouret, voir la note 2, p. 76.

C'est le philosophe qui n'a rien et qui ne demande rien[1].

LUI. — Et où est cet animal-là ? S'il n'a rien il souffre ; s'il ne sollicite rien, il n'obtiendra rien, et il souffrira toujours.

MOI. — Non. Diogène[2] se moquait des besoins.

LUI. — Mais, il faut être vêtu.

MOI. — Non. Il allait tout nu.

LUI. — Quelquefois il faisait froid dans Athènes.

MOI. — Moins qu'ici.

LUI. — On y mangeait.

MOI. — Sans doute[3].

LUI. — Aux dépens de qui ?

MOI. — De la nature. À qui s'adresse le sauvage ? à la terre, aux animaux, aux poissons, aux arbres, aux herbes, aux racines, aux ruisseaux.

LUI. — Mauvaise table.

MOI. — Elle est grande.

LUI. — Mais mal servie.

MOI. — C'est pourtant celle qu'on dessert, pour couvrir les nôtres.

LUI. — Mais vous conviendrez que l'industrie[4] de nos cuisiniers, pâtissiers, rôtisseurs, traiteurs, confiseurs y met un peu du sien. Avec la diète austère de votre Diogène, il ne devait pas avoir des organes fort indociles.

MOI. — Vous vous trompez. L'habit du cynique était autrefois, notre habit monastique avec la même vertu.

---

1. Le philosophe, seul individu exempté de la vile pantomime ? Voilà qui, d'une part, est mis en cause par la satire, et d'autre part n'a pas toujours été le cas dans la vie de Diderot, lequel a dû faire amende honorable après son incarcération à Vincennes et n'a pas hésité, plus tard, à solliciter auprès du contrôleur général des finances ou de l'intendant général des finances pour son propre gendre Caroillon de Vandeul. **2.** Diogène : voir la note 3, p. 24. **3.** Assurément. **4.** *Industrie* signifie « activité », « travail », « talent ».

Les cyniques étaient les carmes et les cordeliers d'Athènes[1].

LUI. — Je vous y prends. Diogène a donc aussi dansé la pantomime ; si ce n'est devant Périclès[2], du moins devant Laïs ou Phryné[3].

MOI. — Vous vous trompez encore. Les autres achetaient bien cher la courtisane qui se livrait à lui pour le plaisir.

LUI. — Mais s'il arrivait que la courtisane fût occupée, et le cynique pressé ?

MOI. — Il rentrait dans son tonneau, et se passait d'elle.

LUI. — Et vous me conseilleriez de l'imiter ?

MOI. — Je veux mourir, si cela ne vaudrait mieux que de ramper, de s'avilir, et se prostituer.

LUI. — Mais il me faut un bon lit, une bonne table, un vêtement chaud en hiver ; un vêtement frais, en été ; du repos, de l'argent, et beaucoup d'autres choses ; que je préfère de devoir à la bienveillance, plutôt que de les acquérir par le travail.

MOI. — C'est que vous êtes un fainéant, un gourmand, un lâche, une âme de boue.

LUI. — Je crois vous l'avoir dit.

MOI. — Les choses de la vie ont un prix sans doute ; mais vous ignorez celui du sacrifice que vous faites pour les obtenir. Vous dansez, vous avez dansé et vous continuerez de danser la vile pantomime.

LUI. — Il est vrai. Mais il m'en a peu coûté ; et il ne m'en coûte plus rien pour cela. Et c'est par cette raison que je ferais mal de prendre une autre allure qui me peinerait, et que je ne garderais pas. Mais, je vois à ce que vous me dites là que ma pauvre petite femme

---

1. Faire des carmes, ainsi que des cordeliers qui sont des franciscains, c'est-à-dire de deux des trois ordres mendiants (avec les dominicains), les successeurs des cyniques grecs renvoie à la réputation de lubricité et de gueuserie de ces moines au XVIIIe siècle, exprimée par les écrits satiriques et pornographiques et fort largement partagée dans le public. **2.** Périclès, homme d'État de l'Athènes du Ve siècle av. J.-C., représente ici le pouvoir politique. **3.** Laïs, Phryné, figures emblématiques de courtisanes de l'Antiquité. Voir la note 3, p. 24.

était une espèce de philosophe[1]. Elle avait du courage comme un lion. Quelquefois nous manquions de pain, et nous étions sans le sol. Nous avions vendu presque toutes nos nippes. Je m'étais jeté sur les pieds de notre lit, là je me creusais à chercher quelqu'un qui me prêtât un écu que je ne lui rendrais pas. Elle gaie comme un pinson, se mettait à son clavecin, chantait et s'accompagnait. C'était un gosier de rossignol ; je regrette que vous ne l'ayez pas entendue. Quand j'étais de quelque concert, je l'emmenais avec moi. Chemin faisant, je lui disais : Allons, madame, faites-vous admirer ; déployez votre talent et vos charmes. Enlevez. Renversez[2]. Nous arrivions ; elle chantait, elle enlevait, elle renversait. Hélas, je l'ai perdue, la pauvre petite. Outre son talent, c'est qu'elle avait une bouche à recevoir à peine le petit doigt ; des dents, une rangée de perles ; des yeux, des pieds, une peau, des joues, des tétons, des jambes de cerf, des cuisses et des fesses à modeler. Elle aurait eu, tôt ou tard, le fermier général[3], tout au moins. C'était une démarche, une croupe ! ah Dieu, quelle croupe !

Puis le voilà qui se met à contrefaire la démarche de sa femme ; il allait à petit pas ; il portait sa tête au vent ; il jouait de l'éventail ; il se démenait de la croupe ; c'était la charge de nos petites coquettes la plus plaisante et la plus ridicule.

Puis reprenant la suite de son discours, il ajoutait : Je la promenais partout, aux Tuileries, au Palais-Royal,

---

1. Pour la femme de Jean-François Rameau, voir la note 3, p. 21. L'image qui est ici donnée d'elle ne correspond en rien à ce qu'en dit la *Raméide*. Le terme *philosophe* qui la caractérise est pris dans un sens ironique certes, mais positif. Voir la note 2, p. 25. **2.** *Enlevez. Renversez*. Par ces vocables tout militaires, le Neveu se fait déjà proxénète. **3.** Comme la France d'Ancien Régime ne disposait pas d'une administration spécialisée, les fermiers généraux étaient des financiers auxquels l'État affermait (c'est-à-dire concédait par bail) la levée les impôts d'une province. Certains d'entre eux, tel Bertin, menaient grand train, protégeaient les arts et entretenaient des actrices. Voir l'article FERME de l'*Encyclopédie*.

aux boulevards. Il était impossible qu'elle me demeurât. Quand elle traversait la rue, le matin, en cheveux, et en pet-en-l'air [1] ; vous vous seriez arrêté pour la voir, et vous l'auriez embrassée entre quatre doigts, sans la serrer. Ceux qui la suivaient, qui la regardaient trotter avec ses petits pieds ; et qui mesuraient cette large croupe dont ses jupons légers dessinaient la forme, doublaient le pas ; elle les laissait arriver ; puis elle détournait prestement sur eux, ses deux grands yeux noirs et brillants qui les arrêtaient tout court. C'est que l'endroit de la médaille ne déparait pas le revers. Mais hélas je l'ai perdue ; et mes espérances de fortune se sont toutes évanouies avec elle. Je ne l'avais prise que pour cela ; je lui avais confié mes projets ; et elle avait trop de sagacité pour n'en pas concevoir la certitude, et trop de jugement pour ne les pas approuver.

Et puis le voilà qui sanglote et qui pleure, en disant : Non, non, je ne m'en consolerai jamais. Depuis, j'ai pris le rabat et la calotte [2].

MOI. — De douleur ?

LUI. — Si vous voulez. Mais le vrai, pour avoir mon écuelle sur ma tête... Mais voyez un peu l'heure qu'il est, car il faut que j'aille à l'Opéra.

MOI. — Qu'est-ce qu'on donne ?

LUI. — Le Dauvergne [3]. Il y a d'assez belles choses

---

1. Le *pet-en-l'air* est un vêtement court et flottant : « Déshabillé. C'est un mot de province », dit *Féraud*. Rappelons que *déshabillé* désigne l'absence d'habit, et non l'absence de vêtement ; il se porte d'ordinaire en privé, et non en public. 2. Le *rabat* (voir la note 6, p. 142) et la *calotte* (« ornement de tête pour les ecclésiastiques de France », selon l'*Encyclopédie*, ce qui permet la plaisanterie qui suit sur l'« écuelle », calotte renversée) sont deux des signes vestimentaires distinctifs de l'état ecclésiastique. On sait que Jean-François Rameau, après des années de vie militaire, avait pris la tonsure et les ordres mineurs, qui n'empêchaient pas de rester dans la vie civile. Selon Cazotte, qui l'appelle plaisamment l'« abbé Rameau », il serait mort « dans une maison religieuse où sa famille l'avait placé ». 3. Antoine Dauvergne (1713-1797), violoniste, étudia la composition avec Rameau et fut directeur de l'Opéra. Son opéra-comique *Les Troqueurs*, en 1753, avait été l'une des premières applications à un texte français

dans sa musique ; c'est dommage qu'il ne les ait pas dites le premier. Parmi ces morts, il y en a toujours quelques-uns qui désolent les vivants. Que voulez-vous ? *Quisque suos patimur manes*[1]. Mais il est cinq heures et demie. J'entends la cloche qui sonne les vêpres de l'abbé de Canaye et les miennes[2]. Adieu, M. le philosophe. N'est-il pas vrai que je suis toujours le même ?

MOI. — Hélas oui, malheureusement.

LUI. — Que j'aie ce malheur-là seulement encore une quarantaine d'années. Rira bien qui rira le dernier.

---

de l'esthétique musicale italienne. Dans les années soixante, on jouait de lui à l'Opéra *Canente*, tragédie de La Motte, *Hercule mourant*, tragédie lyrique de Marmontel, *Polyxène*, tragédie lyrique de Joliveau.

1. Cet hémistiche de l'*Énéide* (IV, 743) est détourné ici par Diderot, et par LUI. « Nous endurons chacun le sort de nos Mânes propres », dit assez obscurément Anchise à Énée descendu aux enfers. « Chacun expie ses mânes, autrement dit les ancêtres à la suite desquels il s'inscrit », traduit Rameau, qui vise par là Dauvergne, condamné à être éclipsé par les Italiens qui l'ont précédé et qu'il imite. La même formule latine, dévoyée de la même manière plaisante, est attribuée à « Rameau le fou » dans le *Salon de 1767*. C'est à propos d'un tableau de Doyen ayant subi la mauvaise influence de Mignard. Unique et étrange résurgence... **2.** Étienne, abbé de Canaye (1694-1782), oratorien, historien et mélomane. Si l'on en croit la *Satire première*, où il est cité, il ne laissait pas d'être à sa manière un original. La cloche de l'Opéra annonçait le début du spectacle, qui commençait à six heures.

CHRONOLOGIE

1713 Naissance à Langres de Denis, fils de Didier Diderot, coutelier, et d'Angélique Vigneron. À sa sœur cadette Denise, Denis manifesta une constante affection. Relations orageuses avec le benjamin Didier-Pierre, devenu chanoine.

1723-1741 Études au collège des jésuites de Langres, puis à Paris, où il obtient la maîtrise ès arts en 1732. Études de théologie à la Sorbonne. Période de bohème, maturation et quasi-misère. Il vit au jour le jour, étudie les mathématiques, lit les Anciens et fréquente les théâtres.

1741 Rencontre Anne-Toinette Champion, lingère. Passant outre au refus de son père, il l'épouse clandestinement en 1743.

1742-1744 Traductions de l'*Histoire de la Grèce* de l'Anglais T. Stanyan, du *Dictionnaire de médecine* de l'Anglais R. James. Rencontre Jean-Jacques Rousseau, qui devient son ami.

1745 Adapte avec des annotations l'*Essai sur le mérite et la vertu* de l'Anglais Shaftesbury. Rencontre Condillac.

1746 *Pensées philosophiques*, condamnées par le Parlement de Paris. *La Promenade du sceptique* (non publiée). Rencontre D'Alembert.

1747 D'Alembert et Diderot signent un contrat avec les « libraires associés » pour la publication de l'*Encyclopédie*.

1748 *Les Bijoux indiscrets*, publication anonyme, puis sous son nom *Mémoires sur différents sujets de mathématiques*.

1749 La *Lettre sur les aveugles* lui vaut d'être emprisonné trois mois au château de Vincennes. Il est élargi à la suite de nombreuses interventions, dont celles des « libraires », et au prix d'un engagement formel de « sagesse ».

1750 Rencontre Grimm, avec lequel il se lie d'amitié. Prospectus de lancement de l'*Encyclopédie*.

1751 *Lettre sur les sourds et muets*. Tome I de l'*Encyclopédie*.

1752 Condamnation par la Sorbonne de la thèse de l'abbé de Prades, collaborateur de l'*Encyclopédie*. Suppression des deux premiers volumes par arrêt du Conseil du roi. Perquisition de la police chez Diderot, qui confie ses papiers à Malesherbes, directeur de la Librairie. Tome II de l'*Encyclopédie*.

1753 Participe à la querelle des Bouffons italiens. Naissance de sa fille Marie-Angélique. *Pensées sur l'interprétation de la nature*. Tomes III, IV et V de l'*Encyclopédie* en 1753, 1754 et 1755.

1756 *Lettre à Landois* (parue dans la *Correspondance littéraire* de Grimm. Diderot collabore activement à partir de cette date à cette publication manuscrite tolérée). Tome VI de l'*Encyclopédie*.

1757 Attentat de Damiens contre Louis XV. Campagne des « Cacouacs » contre l'*Encyclopédie*. Publie *Le Fils naturel* et les *Entretiens*. Tome VII de l'*Encyclopédie*.

1758 D'Alembert quitte la direction de l'*Encyclopédie*. Rupture publique avec Rousseau. Publie *Le Père de famille* et le *Discours sur la poésie dramatique*.

1759 L'*Encyclopédie* est frappée d'interdiction par le Parlement, le Conseil du roi et le pape. Le privilège est révoqué. Les éditeurs et Diderot préparent la publication des planches et la suite des volumes de textes. Première lettre connue de Diderot à Sophie Volland (les lettres de Sophie ont été détruites). Mort du père. Premier *Salon*, publié comme tous les suivants dans la *Correspondance littéraire*.

1760 Diderot est attaqué publiquement, ainsi que tout le parti encyclopédique, dans la comédie des *Philosophes* de Palissot ; il est blessé (1760). Rédaction de *La Religieuse*.

1761 Représentation du *Père de famille* à la Comédie-Française. Deuxième *Salon*. Début probable de la rédaction du *Neveu de Rameau*, qui se poursuivra, mais on ne sait selon quel rythme, par la suite (non publié de son vivant).

1762 *Éloge de Richardson*. Début de la publication des *Planches* de l'*Encyclopédie*, autorisées par la censure.

1763 *Lettre sur le commerce de la librairie* (non publiée). Troisième *Salon*.

1764 Diderot découvre que le principal « libraire » (éditeur) de l'*Encyclopédie*, Le Breton, a mutilé son texte par crainte de la censure.

1765 Catherine II achète la bibliothèque de Diderot, mais lui en laisse l'usufruit, contre quinze mille livres et une pension de trois cents pistoles. Quatrième *Salon*, suivi des *Essais sur la peinture*.

1766 Dix derniers volumes de textes (VIII à XVII) de l'*Encyclopédie*. Les volumes de planches s'échelonneront jusqu'en 1772. *Correspondance* avec Falconet sur la postérité.

1767-1768 Cinquième *Salon*, où l'on trouve une « satire à la manière de Perse contre le luxe », et *Mystification* (non publiée).

1769 *Le Rêve de D'Alembert* (non publié). Poursuit la rédaction du *Paradoxe sur le comédien*. Sixième *Salon*.

1770 Fiançailles d'Angélique avec Caroillon de Vandeul, maître des forges, avant leur mariage en 1772. *Voyage à Bourbonne et à Langres*, *Les Deux Amis de Bourbonne* et *Entretien d'un père avec ses enfants*, publiés dans la *Correspondance littéraire* (1771) puis en allemand avec les *Idylles* de Gessner (1773). *Apologie de l'abbé Galiani* (non publiée).

1771 *Leçons de clavecin et principes d'harmonie*, de Bemetzrieder, rédigés et édités par Diderot. Septième *Salon*.

1772 *Ceci n'est pas un conte* ; *Madame de La Carlière* ; première version du *Supplément au voyage de Bougainville*. Collaboration (qui s'élargira jusqu'en 1780) à l'*Histoire des deux Indes* de l'abbé Raynal.

1773 *Paradoxe sur le comédien* (texte non définitif, non publié). Juin : départ pour la Russie. Séjour studieux en Hollande. À Saint-Pétersbourg, entretiens avec la tsarine et début des *Mémoires pour Catherine II.*

1774 Mort de Louis XV et avènement de Louis XVI. Mars : départ de Diderot de Pétersbourg. Second séjour à La Haye ; Diderot rédige le commentaire sur *L'Homme* d'Hemsterhuis et l'*Entretien avec la maréchale*. Retour à Paris en octobre.

1775 *Plan d'une université pour le gouvernement de Russie*. Huitième *Salon*.

1776 *Pensées détachées sur la peinture* (reprises après 1780).

1778 Début de la publication de *Jacques le Fataliste* dans la *Correspondance littéraire*. Mort de Voltaire ; mort de Rousseau. Diderot travaille aux *Éléments de physiologie*. Publication de la *Satire première* dans la *Correspondance littéraire*.

1780 Mort de Jaucourt, principal collaborateur de l'*Encyclopédie* ; mort de Condillac. *La Religieuse* paraît dans la *Correspondance littéraire*.

1781 Prise de distance avec Grimm. Condamnation par le Parlement de Paris de l'*Histoire des deux Indes* et de l'abbé Raynal. Fin de la rédaction de *Est-il bon ? Est-il méchant ?* Dernier *Salon*.

1782 Édition de l'*Essai sur les règnes de Claude et de Néron*. Publication des *Confessions* de J.-J. Rousseau.

1783 Maladie grave de Diderot. Mort de D'Alembert.

1784 22 février : mort de Sophie Volland ; 31 juillet : mort de Diderot, inhumé à Saint-Roch le 1er août.

1785 Madame de Vandeul, comme promis, expédie la bibliothèque de son père et une collection de ses manuscrits (dont la *Satire seconde*, ou *Neveu de Rameau*) à Catherine II.

1805 Traduction de Goethe, *Rameaus Neffe*, avec une notice historique et critique. L'éditeur renonce à publier le texte français.

1821 Première édition française du *Neveu de Rameau*. Supercherie, c'est la retraduction de la traduction de Goethe donnée pour édition originale inédite.

1891 Georges Monval publie le manuscrit autographe qu'il a découvert quai Voltaire. Source des éditions modernes, ce manuscrit se trouve aujourd'hui à la Pierpont Morgan Library de New York.

BIBLIOGRAPHIE SOMMAIRE

Œuvres (presque) *complètes*, édition Roger Lewinter, Paris, Club Français du Livre, 1971.

Œuvres complètes (en cours), édition, dite DPV, Paris, Hermann.

Principales éditions du *Neveu de Rameau* :

Le Neveu de Rameau, édition critique avec notes et lexique par Jean Fabre, Genève, Droz, 1950, revue 1977.

Le Neveu de Rameau ou Satire 2ᵉ accompagnée de la Satire première, édition de Roland Desné, Paris, Club des Amis du Livre progressiste, 1963.

Le Neveu de Rameau et autres textes, préface de Jacques Proust, Paris, Le Livre de Poche, 1972.

Le Neveu de Rameau et autres textes philosophiques, préface de Jean Varloot, Paris, Gallimard, collection Folio, 1972.

Le Neveu de Rameau, Satire seconde, texte présenté et commenté par Jacques Chouillet, Paris, Imprimerie nationale, 1982.

Le Neveu de Rameau, Satires, Contes et Entretiens, édition établie et commentée par Jacques et Anne-Marie Chouillet, Paris, Le Livre de Poche, 1982.

Le Neveu de Rameau, Introduction, notes, chronologie, dossier, bibliographie par Jean-Claude Bonnet, GF Flammarion, Paris, 1983.

Le Neveu de Rameau, Introduction, notes, annexes, par Henri Coulet, édition DPV, tome XII.

Quelques ouvrages consacrés au *Neveu de Rameau* :

Michèle Duchet et Michel Launay, *Entretiens sur Le Neveu de Rameau*, Paris, Nizet, 1967.

Yoichi Sumi, *Le Neveu de Rameau, caprices et logiques du jeu*, Tokyo, France Tosho, 1975.

Autour du Neveu de Rameau de Diderot, études réunies par Anne-Marie Chouillet, Paris, Champion, 1991.

La biographie de référence de Diderot :

Arthur M. Wilson, *Diderot, sa vie et son œuvre*, Bouquins, Paris, Laffont / Ramsay, 1985.

Outre de nombreux articles consacrés au *Neveu de Rameau*, on signalera quelques ouvrages particulièrement éclairants :

G.W. F. Hegel, *La Phénoménologie de l'esprit*, traduction Jean Hyppolite, Paris, Aubier-Montaigne, 1941.

Herbert Dieckmann, *Cinq leçons sur Diderot*, Genève et Paris, Droz et Minard, 1959.

Michel Foucault, *Histoire de la folie à l'âge classique,* nouvelle édition, Paris, Gallimard, 1972.

Jacques Proust, *Diderot et l'Encyclopédie*, Paris, Armand Colin, 1967.

TABLE

Composition réalisée par NORD COMPO

Imprimé en France sur Presse Offset par

BRODARD & TAUPIN

GROUPE CPI

La Flèche (Sarthe).
N° d'imprimeur : 21498 – Dépôt légal Édit. 41865-01/2004
Édition 04
LIBRAIRIE GÉNÉRALE FRANÇAISE - 43, quai de Grenelle - 75015 Paris.
ISBN : 2 - 253 - 14997 - 7

31/4997/8

Python
Pocket Reference